KT-173-877

Degli stessi autori

Il Salvalingua
Il Salvatema
Il Salvastile
Il Salvaitaliano
Le parole giuste
L'italiano*
Il nuovo salvalingua
Viva il congiuntivo!*
Viva la grammatica!*
Ciliegie o ciliege?*
Piuttosto che*
L'italiano in gioco*
Senza neanche un errore*

Di Valeria Della Valle e Giovanni Adamo

2006 parole nuove

*Disponibile anche in ebook

VALERIA DELLA VALLE
GIUSEPPE PATOTA

LA NOSTRA LINGUA ITALIANA

Sperling & Kupfer

Pubblicato per

da Mondadori Libri S.p.A.

LA NOSTRA LINGUA ITALIANA

ISBN 978-88-200-6843-1

I Edizione ottobre 2019

Anno 2019-2020-2021 - Edizione 1 2 3 4 5 6 7 8 9 10

Indice

Introduzione

La nostra lingua italiana è stata descritta e raccontata innumerevoli volte. Sul suo conto, però, le domande sono sempre moltissime, e stanno a testimoniare la curiosità e l'interesse nei confronti dell'elemento che, più di ogni altro, fa sentire italiani noi e tutti coloro che studiano e amano la nostra lingua, qui e nel resto del mondo.

Negli anni di insegnamento e nel corso di dibattiti, incontri, trasmissioni, presentazioni di libri, ci sono state rivolte molte domande sulla storia dell'italiano.

Abbiamo deciso di rispondere raccontando come la nostra lingua è nata, e come, attraverso un lungo e avventuroso percorso, è cambiata e si è evoluta. Per farlo ci siamo comportati un po' come archeologi, un po' come guide turistiche e un po' come cronisti, ma soprattutto come storici della lingua italiana, portando i lettori a contatto diretto con i documenti, le testimonianze, le memorie, i testi: siamo andati a ispezionare le iscrizioni graffite in una coppa del V secolo a.C. trovata in un santuario al confine tra Lazio e Campania; abbiamo riletto il latino 'alla buona' o quello spregiudicato usato, rispettivamente, nelle lettere di Cicerone e nei versi di Catullo; abbiamo riascoltato, in una città dell'Italia meridionale, forse a Napoli, il latino popolare degli ospiti che chiacchieravano durante una cena in casa di un ex schiavo, in età imperiale; proprio a Napoli, nella Biblioteca Nazionale, abbiamo esaminato in un codice gli errori affioranti nel latino scritto per la pressione del latino parlato; ci siamo spostati a Roma, e in una basilichetta in periferia abbiamo osservato una piccola iscrizione graffita in romanesco antico; da lì siamo tornati nella zona centrale della città, per scendere nella Basilica di San Clemente, dove in un affresco una specie di fumetto testimonia il volgare parlato a Roma alla fine dell'XI secolo; poi ci siamo spostati in Toscana, per osservare, con i loro testi di fronte, qual era la lingua usata dal padre Dante, dalle Tre Corone e dall'inventore della grammatica Leon Battista Alberti; a Venezia abbiamo seguito il cardinal Pietro Bembo nella tipografia di Aldo Manuzio (e anche mentre trafficava per assicurarsi il titolo di primo grammatico del volgare); abbiamo osservato Ludovico Ariosto che ripuliva il suo poema da tracce residue di lingua padana, e Niccolò Machiavelli che si serviva con sicurezza del fiorentino vivace, parlato, usato dalla gente comune del suo tempo; sempre a Firenze ci siamo appostati dietro alle spalle degli Accademici della Crusca, alle prese con la stesura del primo vero vocabolario della lingua italiana; con grande rispetto abbiamo seguito le lezioni del professor Galileo Galilei, che scrisse le sue opere in un volgare che non ha bisogno di essere tradotto, e abbiamo osservato le parole scelte per divulgare la scienza; con indulgenza e simpatia ci siamo introdotti sommessamente nello studiolo nel quale

Francesco Redi organizzava, a fin di bene, i suoi piccoli imbrogli lessicografici; abbiamo seguito Alessandro Manzoni nel viaggio, geografico e linguistico, da Milano a Firenze, attraverso le redazioni dei *Promessi sposi*, il romanzo col quale pose le basi dell'italiano moderno; quell'italiano moderno che ha fatto qualche passo indietro durante il fascismo, e che continua a farne molti in avanti e a vivere, grazie al cammino compiuto, nell'italiano del presente.

Abbiamo voluto unire le tappe fondamentali di questo viaggio nell'italiano collegandole l'una all'altra, affinché i lettori possano ricostruirne agevolmente la fisionomia. Alla curiosità e all'interesse che l'italiano suscita in Italia e nel mondo abbiamo aggiunto, per raccontarne i momenti più importanti, l'affetto che ci lega alla nostra lingua italiana, augurandoci che questo libro contribuisca a farlo nascere e crescere nei lettori.

Gli autori

1

L'italiano deriva dal latino?

Si dice, comunemente, che l'italiano 'deriva dal latino'. Quest'affermazione, così lineare da apparire quasi ovvia, merita di essere approfondita, calibrata e, almeno in parte, corretta.

Nel contesto in cui lo abbiamo adoperato, il verbo *derivare* non significa «nascere», ma «avere origine», o meglio ancora «continuare». Le lingue, infatti, non sono organismi biologici: per loro non si può parlare di *nascita* o di *morte*, se non in senso figurato. Il latino può essere considerato la 'lingua madre' dell'italiano e delle sue 'lingue sorelle' neolatine solo in senso figurato. L'italiano non nasce dal latino, ma lo *continua*: una tradizione ininterrotta lega la lingua di Roma antica alla lingua di Roma moderna, dai tempi remoti della fondazione fino ai giorni nostri. Con le parole di Lorenzo Tomasin:

> È vero [...] che le lingue romanze *discendono* dal latino, ma ciò va inteso in un senso diverso da quello per cui nipoti e bisnipoti discendono da nonni e bisnonni: tra questi

e i loro avi c'è in effetti una precisa separazione fisica e una indiscutibile individualità, laddove per le lingue tale distinzione è più complessa, meno pacifica, perché senza soluzione di continuità.

Si può dire, insomma, che l'italiano è il latino adoperato oggi in Italia, così come il portoghese, lo spagnolo e il francese sono i latini adoperati oggi in Portogallo, in Spagna e in Francia.

Nella nostra frase, inoltre, l'uso della parola *latino* nuda e cruda, senza alcuna specificazione, è generico e fuorviante. Il latino, come ogni altra lingua antica e moderna, non fu un blocco monolitico, ma un oggetto vario e complesso. Possiamo arrivare a dire che non è esistito un solo latino, ma ne sono esistiti tanti, nati dalla combinazione di almeno quattro variabili: il tempo, lo spazio, lo stile e la società, ovvero la condizione socioculturale degli utenti.

Il tempo

Il latino, lingua di tradizione ultramillenaria, cambiò nel corso del tempo. Come l'italiano di oggi è diverso da quello adoperato quindici, cinquanta o centocinquanta anni fa, così il latino arcaico del V o IV secolo a.C., relativamente vicino al tempo della fondazione di Roma, fu diverso dal latino classico della seconda metà del I secolo a.C., l'età di Cicerone, Virgilio, Orazio e Tito Livio. Ne volete una prova? Esaminiamo insieme la cosiddetta 'nuova epigrafe del Garigliano', una testimonianza latina molto antica, frutto di una scoperta relativamente recente.

Circa duemilasettecento anni fa (VII-VI secolo a.C.), presso la foce del fiume Garigliano (al confine fra Lazio e Campania, dunque in posizione periferica rispetto all'area latina vera e propria), alcuni appartenenti alla popolazione italica degli Aurunci edificarono un santuario in onore di Marica, una divinità che, viste le attribuzioni che le venivano date, aveva fortemente a che fare con il territorio paludoso in cui fu eretto il luogo di culto: il suo nome, infatti, deriva dalla voce indoeuropea **mar(i)-*, che prima indicò l'«aquitrinio», la «palude», e poi, in molte lingue, il «mare». Alcune prerogative dell'italica Marica ricordano da vicino quelle della romana Diana, dea della caccia, degli animali selvatici, del tiro con l'arco, della foresta e dei campi coltivati.

I resti di questo santuario sono stati riportati alla luce circa un secolo fa; diversi oggetti che si trovavano al suo interno sono stati scoperti in tempi molto più recenti. In particolare, verso la fine del secolo scorso gli archeologi hanno rinvenuto una coppa votiva risalente al V secolo a.C. che contiene due brevi iscrizioni graffite, una al suo esterno e una all'interno. La prima riporta il nome del proprietario dell'oggetto offerto in voto; della seconda, in *scriptio continua* (le parole, cioè, sono scritte una di seguito all'altra e senza segni d'interpunzione), le due letture più recenti che ne sono state date divergono leggermente (il che è comprensibile, trattandosi di un'iscrizione che risale a duemilacinquecento anni fa, e dunque non è integra né perfettamente leggibile):

Lettura 1
esom kom meois sokiois Trivoial deom duo nei pari med

Traduzione 1

sono con i miei compagni appartenente a Trivia ... di due degli dèi. Non impadronirti di me.

Lettura 2

esom kom meois sokiois Triwoia deom duo[na] nei pari med

Traduzione 2

sono con i miei compagni per Trivia degli dèi la buona. Non impadronirti di me.

La coppa rientra nella categoria degli oggetti parlanti. Dice di essere, insieme ai suoi compagni (gli altri oggetti votivi presenti nel luogo), appartenente (lettura 1) o votata (lettura 2) a Trivia: «esom kom meois sokiois Trivoial» («sono con i miei compagni appartenente a Trivia»); «esom kom meois sokiois Triwoia» («sono con i miei compagni per Trivia»). Poi, secondo la prima lettura, si rivolge a due divinità, ma non è dato di sapere con precisione che cosa dica, perché dopo l'indicazione *deom duo* («di due degli dei») alcune parole della scritta non si leggebbero. Invece, secondo la seconda lettura, la sequenza *duo* convergeva con una seconda sequenza *na* (che il tempo ha cancellato), a formare la parola *duona*, in latino arcaico «buona». Infine, la scodella diffida chiunque dall'impadronirsi di lei: *nei pari med* («non impadronirti di me»).

Chi era Trivia? Varrone, filologo, grammatico ed erudito latino vissuto nel I secolo a.C., racconta che era Diana, detta Trivia perché in Grecia (dove era chiamata Artemide) se ne trovavano immagini presso i *trivii*, gli incroci delle strade. Secondo altri, Trivia era la Luna (l'identità della quale si fondeva e confondeva spesso con quella di Diana), i cui movimenti procedevano nelle *tre* diverse dimensioni dell'altezza, della larghezza e della lunghezza. O forse l'appellativo *Trivia* alludeva alle *tre vie* percorse da una divinità una e trina, che si manifestava in forma celeste come Luna, in forma terrestre come Diana e in entrambe le forme come Proserpina, la dea che trascorreva quasi tutta la primavera, l'estate e l'autunno nel mondo dei vivi e l'inverno nel regno dei morti.

Torniamo all'iscrizione. Risale agli inizi del V secolo a.C. ed è in latino arcaico. Se fosse stata scritta cinque secoli dopo, nel pieno della cosiddetta 'età classica' di Cicerone e di Virgilio, e se avesse mantenuto lo stesso ordine delle parole, secondo la lettura 1 si sarebbe presentata così:

> sum cum meis sociis Triviae deorum duo. ne parias me

Secondo la lettura 2, invece:

> sum cum meis sociis Triviae deorum bonae. ne parias me

Se è giusta la lettura 1, soltanto una parola (il numerale *duo*) di questo testo in latino arcaico avrebbe avuto la stessa forma nel latino dell'età classica, quello tradizionalmente studiato nella scuola. Se è giusta la lettura 2, non avrebbe avuto la stessa forma neanche una parola. Eppure, si tratta sempre della stessa lingua: per la precisione, di due sue facce molto distanziate sull'asse verticale del tempo.

Lo spazio

Oltre che nel tempo, il latino cambiò nello spazio. Questo è il destino di tutte le lingue vive: l'esperienza comune ci mostra che l'italiano adoperato a Milano è diverso da quello in uso a Firenze, a Napoli o a Palermo, e che le differenze non investono solo l'intonazione, la pronuncia e il lessico, ma anche la grammatica e la sintassi. La stessa cosa accadde, a suo tempo, al latino, una lingua che superò i confini di un intero continente: nel momento di massima espansione del dominio romano, agli inizi del II secolo d.C., il latino circolava su un territorio vastissimo, che andava dalle coste atlantiche dell'Europa fino al fiume Reno e oltre il Danubio (al di là del quale fu conquistata la Dacia, l'attuale Romania), dalle coste meridionali dell'Inghilterra fino a quelle settentrionali dell'Africa.

Ovviamente, questa lingua non era un blocco uniforme. Non è immaginabile che il latino adoperato in Spagna fosse identico a quello usato in Italia o in Francia, a migliaia di chilometri di distanza, e infatti le testimonianze linguistiche documentano l'esistenza di più varietà di latino sull'asse orizzontale dello spazio.

Facciamo un esempio. Per attribuire a qualcuno o a qualcosa la qualità estetica del «bello», l'italiano e il francese adoperano due parole molto vicine fra loro: *bello* e *beau*. Altre due lingue neolatine, lo spagnolo e il rumeno, adoperano due parole altrettanto vicine fra loro: *hermoso* e *frumos*, ma molto lontane dalle altre due. Eppure, tutte e quattro queste lingue continuano il latino. Come si spiega tanta diversità? Semplicemente tenendo in conto il fatto che italiano e francese da una parte, spagnolo e rumeno dall'altra continuano varietà di latino che furono molto differenti nello spazio.

Semplificando un po' le cose, possiamo dire che, per indicare qualcuno o qualcosa di «bello» con riferimento all'aspetto fisico, il latino disponeva di tre aggettivi: *pulcher*, *bellus* e *formosus*. Il secondo, in realtà, era il diminutivo familiare e affettivo di un altro aggettivo, cioè *bonus*, «buono»: più che «bello», originariamente *bellus* significava «bellino», «carino», e si usava quasi sempre in riferimento alle donne e ai bambini, e quasi mai agli uomini: qualificare un uomo come *bellus* significava, sotto sotto, fare dell'ironia su di lui. Però, proprio per la valenza affettiva che lo connotava, nella lingua popolare questo *bellus* a poco a poco soppiantò *pulcher*. Nella lenta trasformazione che ha portato alle lingue romanze, *pulcher* è finito nel dimenticatoio; *bellus* ha continuato a essere adoperato nelle aree centrali del dominio linguistico latino, come dimostrano l'italiano *bello* e il francese *beau*, mentre *formosus* ha continuato a essere usato a Occidente e a Oriente, nelle zone periferiche, come dimostrano lo spagnolo *hermoso* e il rumeno *frumos*.

Molti altri fatti documentano il peso che, nella storia del latino e delle lingue che l'hanno continuato, ha avuto la diffusione della lingua di Roma in uno spazio linguisticamente ampio e differenziato. Prima che i Romani estendessero il loro dominio a tutta l'Italia e a gran parte dell'Europa, il latino era soltanto la lingua di una piccola comunità di pastori e contadini che occupava un territorio ristretto presso l'ultimo tratto del Tevere.

Nel V secolo a.C. il dominio politico di Roma e quello geografico del latino coprivano soltanto una parte del Lazio attuale, per un'estensione di circa duemilaquattrocento chilometri quadrati. Al di là di questo territorio c'erano molti altri popoli, ciascuno con la sua parlata: nell'Italia settentrionale, da ovest a est s'incontravano i Liguri, le tribù dei Celti, i Reti e i Carni; a sud, nel Veneto meridionale, c'erano i Veneti. Nella fascia immediatamente inferiore vivevano a est i Piceni, al centro gli Umbri e a ovest gli Etruschi; a nord di Roma c'erano i Falischi; nell'Italia centromeridionale erano stanziati gli Oschi, nel Salento e nella Puglia i Messàpi, gli Iapìgi e i Dauni.

Tutte queste popolazioni avevano una loro lingua: il ligure, il celtico, il retico, l'umbro, l'osco e così via. In Sicilia, prima della conquista romana, si parlavano almeno tre lingue: il sicàno, il siculo e l'èlimo, mentre in Sardegna era diffuso il paleosardo, un'antica parlata di cui non sappiamo nulla. Fuori d'Italia, in Francia c'erano i Celti e nella penisola iberica vivevano gli Iberi, che adoperavano le lingue iberiche e il basco. A Oriente, infine, era diffusa un po' dappertutto la prestigiosissima lingua greca.

Fra il III secolo a.C. e il II secolo d.C. i Romani conquistarono tutti questi popoli e i loro territori, e anche altri; Roma creò un impero che nel periodo della massima espansione si estendeva dalla Britannia (la parte meridionale dell'Inghilterra) alla Mesopotamia (l'Iraq), dal fiume Reno all'Africa settentrionale; il latino finì col diventare la lingua di quasi tutti, vincitori e vinti, e si estese su un'area di circa tre milioni di chilometri quadrati.

Molti dei popoli vinti passarono da una fase iniziale di apprendimento del latino a una intermedia, in cui usavano sia la loro lingua d'origine sia la lingua dei vincitori, a una fase finale in cui la lingua originaria fu abbandonata, lasciando qualche traccia di sé nella nuova lingua acquisita: un latino che, regione per regione, si diversificò tanto quanto erano diverse le lingue precedenti, dette 'lingue di sostrato' (vale a dire lo strato esistente sotto le – cioè prima delle – diverse varietà di latino). Queste lingue più antiche furono sì dismesse, ma lasciarono residui nell'intonazione, nella pronuncia, nelle forme e in alcune parole troppo radicate per essere sostituite da equivalenti latini, che peraltro non sempre esistevano: fu così per alcuni nomi di piante, attrezzi agricoli e cibi.

Questi elementi di diversità sotterranea concorsero con altri a dare vita, col tempo, a tante parlate diverse: i dialetti. Molte di queste parlate mantennero una dimensione locale, ma altre, per particolari vicende storiche e/o culturali, assunsero il ruolo di lingue nazionali: fu il caso, per esempio, del fiorentino per l'Italia, del dialetto di Parigi per la Francia e del castigliano per la Spagna.

Per quanto possa sembrare impossibile, le lingue di sostrato continuano a 'premere' sul nostro modo di parlare ancora oggi. Ne volete un esempio? Nel dialetto parlato a Roma e a Napoli tre parole come *mondo*, *quando*, *rotondo* si pronunciano rispettivamente *monno, quanno, rotonno* e *munne, quanne*, *rotunne*. Queste parole provengono dalle voci latine *mundus*, *quando* e *retundus*. Come mai in italiano le consonanti *-nd-* del latino si sono conservate e invece in romanesco e in napoletano si sono trasformate in *-nn-*? Perché gli antichi popoli italici che abitavano alcune zone del Centro e del Sud Italia, quando abbandonarono la loro lingua a vantaggio del latino, non riuscendo a pronunciare la sequenza *-nd-*, la trasformarono in *-nn-*. Quanta storia, dunque, dietro a certe pronunce dialettali che in più di un caso ci fanno sorridere!

Abbiamo detto che molti dei popoli vinti passarono dalla loro lingua al latino. Molti, ma non tutti: la vittoria del latino sulle altre lingue, infatti, non fu totale. A Oriente, i popoli di lingua e cultura greca furono anch'essi assoggettati a Roma, ma non abbandonarono affatto il greco per il latino, perché per tutti, Romani compresi, il greco godeva di un prestigio di gran lunga maggiore: non a caso, l'opera che inaugurò la letteratura latina fu la traduzione della grecissima *Odissea* di Omero fatta da Livio Andronico, un ex prigioniero di guerra greco portato a Roma intorno al 272 a.C. Aveva ragione, dunque, il poeta latino Orazio quando scrisse che la Grecia, dopo essere stata conquistata militarmente da Roma, a sua volta conquistò il rozzo vincitore con le armi delle lettere, e portò le arti nel Lazio incolto.

Lo stile

Oltre che nel tempo e nello spazio, il latino fu vario nello stile. Non si parla né si scrive sempre allo stesso modo. Una lingua può cambiare di tono o di livello a seconda della situazione in cui si usa. L'italiano che usiamo in situazioni formali è diverso da quello che adoperiamo in famiglia o con gli amici. Così è stato anche per il latino, come dimostra un'ampia documentazione al riguardo. La scelta di stili diversi a seconda delle occasioni e dei contesti riguardò tutti: tanto per fare un nome, Cicerone (106 a.C.-43 a.C.), il più illustre ed elegante dei prosatori latini, non adoperava la stessa lingua quando preparava le sue orazioni, quando componeva opere filosofiche e quando scriveva lettere ad amici e famigliari; nei primi due casi adoperava un latino di alto livello, ricercato e raffinato; nel terzo, un latino meno sorvegliato sul piano grammaticale, fatto anche di termini ed espressioni familiari e colloquiali.

Di questa diversità era perfettamente consapevole, e la dichiarava apertamente. In una data che non è stato possibile stabilire scrisse una delle tante lettere indirizzate *Ad familiares* (cioè a parenti e amici), e precisamente a Peto (il testo, naturalmente, è in latino, ma a noi basta la traduzione in italiano):

> Ma come ti sembro nelle lettere? Non ti pare che io mi rivolga a te con un linguaggio plebeo? Perché non ci si esprime sempre allo stesso modo. Che cos'ha una lettera di simile a un processo o a un'assemblea? Anzi, di solito non trattiamo allo stesso modo nemmeno i processi. Le cause private, e in particolare quelle di scarsa gravità, le trattiamo più sobriamente, quelle per reati capitali o d'onore con stile più elegante. Le lettere, poi, di solito le componiamo con parole quotidiane.

Gli scrittori, talvolta, abbassavano intenzionalmente il registro della loro scrittura per aggiungere espressività alle loro opere.

Un esempio istruttivo di questo comportamento è offerto da Gaio Valerio Catullo, nato a Verona nell'84 a.C. e morto a Roma appena trent'anni dopo. Nei suoi versi, Catullo apre sistematicamente alla lingua della conversazione dei giovani alla moda, e qualche volta ne condivide gli eccessi verso il basso. Nel carme 33 fa a pezzi un padre e un figlio che bazzicano le terme; il primo ruba, il secondo si prostituisce:

> nam dextra pater inquinatiore,
> culo filius voraciore.

I due versi, nella traduzione che ne ha dato Alessandro Fo, suonano così:

> più corrotto di destra è infatti il padre,
> più vorace di culo è invece il figlio.

Nel carme 98 dice a un pettegolo di nome Vittio:

> ista cum lingua, si usus veniat tibi, possis
> culos et crepidas lingere carpatinas.

Ovvero:

> con una simile lingua potresti, ne avessi bisogno,
> ben lucidare a leccate culi e calzari di cuoio.

Oppure, nel carme 36 giudica il poema epico scritto da un tal Volusio e intitolato *Annali* «cacata carta»: benché i filologi ancora discutano se il *cacata* qui attribuito alla *carta*, cioè al «papiro», significhi «defecata» o «sporcata di escrementi», per quel che ci interessa non c'è nemmeno bisogno di tradurre.

Naturalmente, non tutte le poesie di Catullo hanno questo tono; più spesso raccontano con bellezza ed eleganza l'amore felice e infelice, la fedeltà e il tradimento, la gioia e la disperazione, l'amicizia e l'ostilità, il gioco e il tormento interiore. Ma l'apertura verso la lingua colloquiale è ricorrente. Eccone un esempio tanto piccolo quanto significativo. Abbiamo già detto che nel latino popolare il diminutivo affettivo *bellus* a poco a poco soppiantò il più elegante *pulcher*. Ebbene Catullo, nelle sue poesie, usa *bellus* più spesso di *pulcher*. In una che ci piacerebbe poter intitolare *Canzone dell'amore perduto* predice a Lesbia, la donna che lo ha lasciato e che lui ama ancora, un futuro disgraziato. Presto, molto presto, sarà lei a soffrire, perché non troverà nessuno capace di amarla quanto lui:

> Scelesta, vae te, quae tibi manet vita?
> Quis nunc te adibit? Cui videberis *bella*?
> Quem nunc amabis? Cuius esse diceris?
> Quem basiabis? Cui labella mordebis?

Nella traduzione, Alessandro Fo ci invita a fare una pausa prima di pronunciare l'ultima parola di ogni verso, così da riprodurre l'andamento zoppicante di quelli latini composti da Catullo, ciascuno dei quali prevede una specie di 'frustata' finale:

> Dannata... E male a te... Che vita ti resta?
> Chi te ora accosterà? Per chi sarai bella?
> Chi vai ora a amare? Di chi sarai tu detta?
> Chi vai a baciare? A chi mordicchierai il labbro?

La risposta scontata a questa collana rancorosa di domande retoriche è sempre la stessa: «Nessuno»; «A nessuno».

La società

«Non ci si esprime sempre allo stesso modo», scrive Cicerone. Non tutti, aggiungiamo noi, in una comunità più o meno ampia di individui, si esprimono allo stesso modo. Il latino fu una realtà linguisticamente varia anche per la diversa condizione socioculturale dei milioni di persone che lo adoperarono.

Come oggi l'italiano delle persone colte è diverso dall'italiano di chi non ha studiato, così nella Roma antica e nei territori dell'impero il latino dei colti (che generalmente erano anche benestanti) era diverso dal latino degli incolti, che non avevano alcuna consuetudine con la scuola: il primo era una lingua dotta, varia nelle parole ed elegante, mentre il secondo era una lingua popolare, poco controllata dal punto di vista grammaticale, piena di espressioni e di riferimenti materiali.

Fra tanti latini, qual è quello da cui è 'derivato' l'italiano? Lo scopriremo nel prossimo capitolo.

2

Alla ricerca del latino perduto

FRA le diverse varietà di latino che, come abbiamo visto, si sono incrociate e sovrapposte nel tempo, nello spazio, nelle abitudini e nelle scelte espressive delle singole persone e nei diversi contesti sociali, spiccano per importanza storica le due che convenzionalmente indichiamo come 'latino classico' e 'latino volgare'.

Il latino classico (lo stesso che si continua a insegnare oggi nelle scuole e nelle università) è una realtà facilmente individuabile: è il latino scritto così come venne usato nelle opere letterarie della cosiddetta 'età aurea' di Roma (50 a.C.-50 d.C. circa), ed è rimasto sostanzialmente identico nel corso della storia: una lingua scritta e colta, espressione dei ceti socioculturalmente più elevati. Per i Romani il latino classico era, letteralmente, un latino 'di prima classe': la società romana era infatti divisa in classi, sicché, come i cittadini più ricchi e potenti erano esponenti della prima classe sociale, così gli scrittori più eleganti furono detti *classici*, cioè «di classe», «di prima classe».

Il latino volgare, diversamente da quello classico, fu

una realtà linguistica varia e complessa. Occorre precisare che il termine *volgare* ha un valore convenzionale: non indica un latino basso, usato solo dalla parte più povera e incolta della popolazione (il *volgo*, appunto), ma il latino comunemente parlato in ogni tempo, luogo e circostanza, e da ogni gruppo sociale della latinità. Il latino volgare, insomma, fu la lingua parlata nei tempi antichi della fondazione di Roma e nella tarda età imperiale, nella capitale e nelle zone periferiche dell'immenso impero, dai ricchi e dai poveri, dagli analfabeti e dagli intellettuali, e fu fortemente diversificato nel suo àmbito smisurato: un contadino e un architetto romano del II secolo a.C. parlavano diversamente non solo l'uno rispetto all'altro, ma anche rispetto a un contadino e un architetto della Gallia del II secolo d.C., che a loro volta non parlavano allo stesso modo. Eppure, tutti parlavano il latino volgare.

Nel corso del tempo questo latino prevalse per uso, importanza e diffusione sul latino classico. Da questa lingua stratificata e multiforme ebbero origine le tante lingue d'Europa indicate come 'romanze' o 'neolatine': il francese (che in origine era il dialetto dell'Île de France e di Parigi); il franco-provenzale (parlato nelle regioni francesi di Grenoble e Lione, in Savoia e nella Svizzera occidentale); il provenzale (parlato nella regione francese della Provenza); il catalano (la lingua della Catalogna); il castigliano (il dialetto parlato nella regione spagnola della Castiglia); il portoghese (il dialetto parlato nella parte occidentale della penisola iberica); il sardo (parlato in Sardegna); il ladino (parlato in una parte della Svizzera e nella zona delle Dolomiti); il friulano (parlato nella regione italiana del Friuli); il rumeno (sorto in Transilvania sulla base del dialetto della Valacchia); e, naturalmente, l'italiano (in origine, il dialetto di Firenze).

Perché il latino volgare si è affermato sul latino classico, trasformandosi via via fino a diventare l'italiano? Questi due processi paralleli (affermazione del latino volgare sul latino classico e trasformazione del latino volgare nell'italiano) furono determinati da tre cause:

1. la perdita di potere dei patrizi romani;
2. la diffusione del Cristianesimo;
3. le invasioni barbariche.

Il primo fattore che indebolì il latino classico fu la perdita di potere da parte della classe aristocratica. Il primo degli imperatori, Cesare Ottaviano Augusto, pur avendo, di fatto, i poteri di un monarca assoluto, mantenne nella forma le istituzioni repubblicane, cercando il consenso diretto dell'esercito e del popolo, e contemporaneamente scavalcando il Senato, che rappresentava l'aristocrazia. Insieme con la classe aristocratica decadde il ceto degli intellettuali che ne era l'espressione culturale, e la lingua colta, che pure continuò a essere usata per tutta l'età imperiale, vide diminuire, almeno in parte, il suo prestigio.

Il secondo fattore che indebolì il latino classico fu la diffusione del Cristianesimo. Da un lato, esso modificò consistentemente il patrimonio lessicale del latino, inserendovi parole come *battesimo, chiesa, cresima, eucarestia, parabola, vescovo* e molte altre, tutte di origine greca, perché greca era stata la lingua delle prime comunità cristiane; dall'altro, inflisse un colpo mortale al latino classico sul piano ideologico, favorendo così l'affermazione del latino volgare: la buona novella era stata annunziata a tutti, colti e incolti, intellettuali e analfabeti; il latino in cui erano stati tradotti i Vangeli, che dovevano essere capiti da tutti, era lontano dalla lingua raffinata degli scrittori e vicino a quella parlata dai poveri e dai semplici. I traduttori delle Sacre Scritture e molti autori cristiani si preoccuparono poco dell'eleganza del loro stile. L'ideologia che ispirò il loro atteggiamento è ben rappresentata dalle affermazioni di due dottori e santi della Chiesa di Roma. «Meglio che ci rimproverino i grammatici, piuttosto che non ci capisca la gente», scrisse sant'Agostino nel IV secolo d.C. in un trattato di dottrina cristiana. Sette secoli dopo, san Pier Damiani, in una lettera-saggio programmaticamente intitolata *La santa semplicità da preferire alla scienza che gonfia*, avrebbe confermato ironicamente: «Ecco fratello, vuoi imparare il latino perfetto? Impara a declinare Dio al plurale...». Dio, per il cristiano, è uno solo, e in quanto tale non declinabile al plurale.

Il terzo fattore che indebolì definitivamente il latino classico, dal V secolo d.C. in poi, furono le invasioni barbariche. Dalla seconda metà del II alla seconda metà del V secolo d.C. varie tribù di provenienza germanica (Sassoni, Franchi, Alemanni, Vandali, Goti, Unni e altri) occuparono, prima attraverso scorrerie poi attraverso migrazioni, una parte consistente dei territori dell'impero, fino alla caduta della sua parte occidentale, avvenuta nel 476 d.C. Nei nuovi regni romano-barbarici la lingua di scambio fu il latino volgare, mentre quello classico finì nel dimenticatoio. La Chiesa, che pure aveva contribuito alla decadenza della lingua della pagana Roma, ne impedì il totale dissolvimento: nelle biblioteche dei monasteri medievali vennero custodite e trascritte le opere dei grandi scrittori della Roma repubblicana e imperiale, sottratte alle devastazioni e ai saccheggi degli eserciti invasori. Nell'Europa occidentale e meridionale (penisola iberica, Francia, Italia) e in parte di quella orientale (Romania) si continuò a parlare quella che veniva chiamata 'lingua romana', un latino variegato, usato qui in un modo e lì in un altro, differente da quello classico nella pronuncia, nelle forme, nel lessico, nell'organizzazione della frase. Queste differenze si fecero progressivamente più forti. Scrittori e grammatici cercarono di preservare la presunta perfezione del latino classico, ma non ci riuscirono.

Il processo di trasformazione che dal latino volgare condusse alla prima formazione delle varie lingue neolatine si concluse quasi dappertutto intorno all'VIII secolo d.C. Il latino volgare, dunque, fu parlato per ben sedici secoli su un territorio di oltre tre milioni di chilometri quadrati: un tempo e uno spazio davvero smisurati, in cui è più facile perdersi che orientarsi.

Infatti, del latino scritto e delle diverse fisionomie che assunse nel corso di questo stesso periodo (latino arcaico, preclassico, classico, postclassico e tardo) sappiamo abbastanza, perché questa lingua è depositata nelle scritture. Grammatiche e vocabolari ce ne hanno restituito i suoni, le forme, le parole e le frasi ricavandole da centinaia, migliaia di testi scritti. Ma come possiamo sapere qualcosa, e che cosa possiamo sapere di una lingua soltanto parlata, come fu il latino volgare? Nei secoli in cui circolò non esistevano certo apparecchi che consentissero di registrare il suono, la cui invenzione risale alla seconda metà dell'Ottocento. Per ricostruire i suoni, le forme, le parole e le frasi del latino parlato dobbiamo farci archeologi e investigatori, e ricomporre un oggetto che non c'è più attraverso le tracce che ne sono rimaste. Perciò allestiremo due spedizioni di archeologia linguistica, alla ricerca di questo latino perduto. Seguiteci.

3

Due spedizioni di archeologia linguistica

L'ESEMPIO di Catullo non è l'unico, né il più vistoso. Elementi di lingua parlata – cioè di latino volgare – sono depositati anche in altre opere letterarie. Peraltro, nel caso delle poesie di Catullo, la lingua popolare resta una macchia che fa mostra di sé su un tessuto linguisticamente e stilisticamente controllato.

Invece, nel caso del *Satyricon* di Gaio Petronio Arbitro, scrittore e politico romano vissuto ai tempi di Nerone, essa invade completamente il testo letterario. Ciò che ci è rimasto di quest'opera in prosa e in versi racconta alcune vicende rocambolesche che hanno per protagonista una coppia di studenti innamorati, Encolpio e Ascilto. L'ampia parte che dà conto di una cena, sontuosa fino al disgusto, che si svolge in casa del ricchissimo ex schiavo Trimalcione in una città dell'Italia meridionale (non è dato di sapere quale: potrebbe essere Napoli oppure Capua, Pozzuoli oppure Cuma), sembra una registrazione in presa diretta dei dialoghi fra i commensali. Molti di loro sono, come Trimalcione, schiavi liberati, persone di umili origini diventate ricche grazie a speculazioni fortunate. A differenza del padrone di casa, che affetta una cultura posticcia, i nuovi ricchi che lui ha invitato a cena della cultura se ne infischiano: pensano in modo rozzo e parlano come pensano, sicché il loro latino, ben lontano da quello colto, è una fonte preziosa per la ricostruzione di quello volgare. Sentiamo come parla uno di loro, Seleuco:

> Exccepit Seleucus fabulae partem et: «Ego» inquit «non cotidie lavor; *balniscus* enim fullo est, aqua dentes habet, et cor nostrum coditie liquescit. Sed cum mulsi pultarium obduxi, frigori *laecasin* dico. Nec sane *lavare* potui; fui enim hodie in funus. Homo *bellus*, tam bonus Chrysantus *animam ebulliit. Modo modo* me appellavit. Videor mihi cum illo loqui. *Heu, eheu*. Utres inflati ambulamus. Minoris quam muscae sumus, muscae tamen aliquam virtutem habent, nos non pluris sumus quam bullae.»

> Seleuco intervenne nella conversazione e: «Io», disse, «non mi lavo tutti i giorni, perché il bagnetto è [corrosivo come] una lavandaia: l'acqua ha i denti, e il nostro cuore ogni giorno si scioglie. Invece, quando ho buttato giù una ciotola (un vaso) di vino col miele, dico al freddo di andare a farsi fottere [*oppure*: di andare a far pompini, di succhiarmelo]. Oggi, poi, non mi sono proprio potuto lavare, perché sono stato a un funerale. Crisanto, uomo caruccio, tanto perbene, cacciò fuori l'anima. Adesso adesso mi aveva chiamato. Mi pare di parlare ancora con lui. Ahi ahi, siamo degli otri gonfi che camminano! Meno delle mosche, siamo. Quelle, almeno, una qualche resistenza ce l'hanno; noi non siamo più che bolle.»

Balniscus è una parola attestata unicamente in quest'opera: o era propria soltanto del latino parlato, o l'ha inventata Petronio. Per indicare il «bagno», infatti, il latino classico aveva la parola *balneus*; qui alla radice *baln-* è stato aggiunto il suffisso *-iscus*, adattamento latino del suffisso diminutivo greco *-ìskos*, equivalente al nostro *-etto*. *Laecasin* è una parolaccia. O è l'adattamento del verbo greco *laikàzein* («prostituirsi»), oppure è l'adattamento di un altro verbo greco, *leichàzein* («succhiare il pene»): per questo abbiamo proposto due traduzioni alternative, che non differiscono molto per trivialità. *Lavare* («lavare») è un errore grammaticale: la forma corretta avrebbe dovuto essere *me lavare* (letteralmente, «lavare me»), oppure *lavari* (letteralmente, «essere lavato»). Torna l'aggettivo *bellus*, che naturalmente nel *Satyricon* la fa da padrone; e non è l'eccezione, ma la regola: in altri luoghi dell'opera troviamo *bellissima occasio, puella* [...] *bella, homo bellus, nomen bellissimum*, e così via. Per indicare che qualcuno era stato «a un funerale», chi avesse voluto adoperare un latino impeccabile avrebbe dovuto usare la preposizione *ad*, non la preposizione *in*. Allo stesso modo, quell'*animam ebullire* («cacciar fuori l'anima bollendo»), che Petronio mette in bocca a Seleuco per descrivere l'atto dello spirare di Crisanto, è decisamente più materiale ed espressiva di altre parole o espressioni più misurate, come *expirare* o *extremum spiritum effundere*. *Modo modo* («adesso adesso») è una ripetizione, e le ripetizioni sono tipiche della lingua parlata tanto quanto le esclamazioni: l'*heu*, *eheu* che viene subito dopo è per l'appunto un'esclamazione, ed è ripetuta.

Come abbiamo accennato sopra, non è affatto escluso che la città dell'Italia meridionale in cui Petronio fa vivere

Trimalcione, e in cui dunque fa svolgere la cena, sia Napoli. Noi ci restiamo volentieri, ma prima dobbiamo fare una rapida escursione nei dintorni di Piacenza. Qui, nell'officina libraria del monastero di Bobbio, intorno al 700 d.C. alcuni fogli contenenti due antiche versioni latine della Bibbia furono legati insieme e raschiati perché un copista potesse riscriverci sopra; nel nuovo codice che si ebbe a disposizione furono copiati vari scritti di grammatica latina che la tradizione attribuì a un autore chiamato 'pseudo-Probo'. Questa raccolta è arricchita da un'appendice di altri testi grammaticali molto brevi, tradizionalmente indicata come *Appendix Probi*, l'"appendice di Probo'. Il codice che raccoglie tutto l'insieme è conservato nella Biblioteca Nazionale di Napoli: ecco perché abbiamo preannunciato che saremmo rimasti lì. Una parte dell'*Appendix Probi* è costituita da un foglio soltanto, il cinquantesimo del manoscritto.

Benché la Biblioteca Nazionale di Napoli disponga di un'avanzatissima apparecchiatura di lettura chiamata Mondo Nuovo, messa a punto da una ditta italiana specializzata, leggere questo foglio non è un'impresa facile, perché è stato gravemente danneggiato dall'umidità: la parte superiore della seconda facciata è completamente annerita, e i reagenti chimici che vi sono stati applicati in passato nel tentativo di schiarirla hanno aggravato la situazione. La possibilità di lettura è stata ulteriormente compromessa da un restauro fatto negli anni Sessanta del secolo scorso, in occasione del quale, per consolidare la pergamena, le sono stati applicati materiali semitrasparenti e strati di vernice protettiva. Il tutto si è tradotto nella presenza di una pellicola che pregiudica la lettura in più punti. Insomma: come spesso accade, alcuni rimedi sono stati peggiori del male, sicché gli esperti che continuano a studiare quello che c'è scritto si servono, oltre che di Mondo Nuovo, di fotografie scattate nel 1892, che riproducono un testo molto meno deteriorato.

Le due facciate del foglio contengono una lista di duecentodiciassette parole (più cinque ripetute) e cinque espressioni riportate a coppie. Il primo termine della coppia è rappresentato da una parola o un'espressione latina scritta in un modo considerato corretto; il secondo termine è rappresentato da una parola o un'espressione latina scritta in un modo giudicato sbagliato, secondo lo schema 'A non B'. Naturalmente non riporteremo l'intera lista, ma solo alcune delle coppie che la compongono; a fianco di ciascuna coppia, tra parentesi, è aggiunta la parola italiana corrispondente:

speculum non *speclum* (specchio)
masculus non *masclus* (maschio)
vetulus non *veclus* (vecchio)
vacua non *vaqua* (vacua)
columna non *colomna* (colonna)
frigida non *fricda* (fredda)
calida non *calda* (calda)
lancea non *lancia* (lancia)
auris non *oricla* (orecchia)
oculus non *oclus* (occhio)
fasseolus non *fassiolus* (fagiolo)
ampora non *amfora* (anfora)
viridis non *virdis* (verde)
orilegium non *orologium* (orologio).

Generazioni di studiosi hanno interpretato questo testo come una pagina di appunti che un maestro di scuola preparò per i suoi studenti perché correggessero i molti errori di pronuncia in cui incappavano: «Ragazzi, bisogna dire *speculum* non *speclum*; *columna* non *colomna*; *calida* non *calda* come dite voi!». Ma una dozzina di anni fa questa interpretazione, che nel secolo scorso ha goduto di un consenso quasi generale, è stata messa completamente in discussione. Questa lista di forme sbagliate, lungi dall'essere un elenco estemporaneo degli errori di pronuncia più frequenti di scolari del V secolo d.C., si è rivelata una raccolta sistematica di errori per lo più già segnalati in trattati grammaticali precedenti: errori soprattutto, ma non solo, ortografici, come per esempio *vaqua*, uno sbaglio che si potrebbe fare anche oggi, scrivendo in italiano.

Dunque questa parte dell'*Appendix Probi* non è la registrazione in presa diretta, da parte di un maestro di grammatica, degli errori fatti dai suoi scolari nel loro latino parlato, ma una specie di Bignami o di *Salvalingua* del latino scritto, approntato da un autore che non era necessariamente (ma poteva anche essere) un maestro di grammatica.

La diversa natura che le è stata attribuita di recente non ridimensiona l'importanza di questa parte dell'*Appendix Probi* come testimonianza del latino volgare: almeno alcune delle forme censurate presenti nella lista si erano diffuse nel latino scritto per effetto della pressione esercitata da quello parlato.

L'autore non poteva immaginare che molti degli errori da lui raccolti sarebbero diventati la lingua del futuro. È evidente, infatti, che le parole italiane sono più vicine alle forme censurate che a quelle approvate: il che conferma che la nostra lingua continua il latino parlato, non quello scritto.

Abbiamo detto che il codice che contiene l'*Appendix Probi* passò da Bobbio a Napoli. Ma l'autore della sezione di cui ci stiamo occupando molto probabilmente trascorse almeno un periodo della sua vita (forse proprio quello in cui stese il testo) a Roma: nello stesso convegno di studi in cui, nel 2004, è stato escluso che l'*Appendix Probi* sia una lista di errori di scolari, è stato anche dimostrato che il quadro linguistico delineato da questo documento è perfettamente compatibile con l'ambiente linguistico della Roma del V secolo.

Vale la pena aggiungere che nella lista delle espressioni sbagliate ce n'è una, «vico caput Africae», che possiamo rendere in questo modo: «nel *vicus* testa d'Africa». L'autore la corregge, precisando che la forma giusta è «vico capitis Africae», cioè «nel *vicus della* testa d'Africa». Nella topografia romana antica la parola *vicus* indicava prima di tutto un insediamento urbano (oggi diremmo un quartiere), ma anche una strada. Le ricerche dei topografi e degli archeologi hanno assodato che il *vicus capitis Africae* («insediamento della testa d'Africa») era a Roma: si estendeva in una parte della zona del Celio, uno dei sette colli, e il suo confine orientale era segnato da una strada indicata come *vicus capitis Africae*, che collegava il Colosseo all'attuale via romana della Navicella. È ragionevole pensare che l'autore dell'*Appendix Probi*, dovendo fare un esempio di indirizzo presentato nel modo sbagliato, ne abbia scelto uno del posto in cui viveva, che magari gli era anche capitato di leggere o di sentir dire.

Per combinazione, nel *vicus capitis Africae* c'era un *paedagogium*, cioè una scuola per l'istruzione e l'addestramento degli schiavi destinati al palazzo imperiale, e forse anche questo particolare ha spinto molti studiosi ad affermare che la lista fu scritta da un maestro, evidentemente attivo nel *paedagogium*, a beneficio dei suoi scolari, candidati a servire nel palazzo imperiale.

Ormai abbiamo tutti gli elementi per escludere che l'*Appendix Probi* sia stata scritta per correggere errori fatti in uno specifico contesto scolastico, ma non possiamo affatto escludere che il suo autore sia stato un insegnante, e neppure che abbia lavorato nella scuola dell'insediamento della testa d'Africa.

Sulla sequenza censurata e su quella data come corretta in merito all'antico indirizzo romano conviene trattenerci ancora, perché entrambe convergono a comporre un'alternanza che è anche nostra: anche noi (senza sbagliare, beninteso, perché sono corrette entrambe le soluzioni) diciamo *via Condotti* anziché *via dei Condotti*, *piazza Duomo* anziché *piazza del Duomo*, *piazza Acquasanta* anziché *piazza dell'Acquasanta*.

Oggi l'antica strada del capo d'Africa non esiste più. Ma nella stessa zona, la lunga via che collega la piazza del Colosseo alla splendida Basilica dei Santi Quattro Coronati ha lo stesso nome del *vicus*, e vale la pena percorrerla, perché è costellata di antiche meraviglie urbane. Purtroppo per l'autore dell'*Appendix Probi*, la toponomastica ufficiale l'ha indicata come *via Capo d'Africa*, non come *via del Capo d'Africa*. Noi, comunque, ci passeremo nel prossimo capitolo. Accompagnateci.

4

Memorie dal sottosuolo: un graffito e un'iscrizione

Il processo di trasformazione che dal latino condusse ai vari volgari romanzi si concluse nell'VIII secolo d.C.: ne nacquero lingue molto diverse da quella originaria, profondamente trasformate nella fonetica, nella morfologia, nel patrimonio delle parole, nell'organizzazione della frase e del periodo.

È a quest'epoca, dunque, che risale la 'data di nascita' dell'italiano? No. Come abbiamo detto, fra latino e lingue romanze non c'è interruzione: le trasformazioni sono lente e quasi non percepibili. Se ci basiamo sulla fisionomia dei due sistemi linguistici, non c'è un momento in cui muore il latino e uno in cui nasce l'italiano. Per secoli la gente parlò una lingua molto lontana dal latino colto del I secolo a.C., ma questa lingua era considerata latino a tutti gli effetti. L'italiano nacque quando i parlanti ebbero la consapevolezza che lo stavano usando al posto del latino; quando si resero conto che stavano adoperando una lingua nuova, anche se non le avevano ancora dato un nuovo nome.

In quale documento possiamo cogliere una tale consapevolezza? Qui le cose si complicano, perché gli studiosi non concordano sul testo da scegliere. Alcuni lo individuano nel cosiddetto *Indovinello veronese*, un breve enigma dedicato all'atto della scrittura risalente al 760-780 d.C. e conservato nella Biblioteca Capitolare di Verona. Secondo molti altri, invece, questo testo non può essere considerato la prima testimonianza scritta di un volgare di area italiana, perché chi lo scrisse pensava di avere adoperato non una lingua diversa dal latino, ma un latino di campagna: dunque l'atto di nascita dell'italiano non sarebbe rappresentato da questo documento, ma dal *Placito di Capua* del 960 d.C., il verbale di un processo in cui compare più volte una frase – la testimonianza giurata «Sao ko kelle terre...» che apre qualunque manuale scolastico dedicato alla letteratura italiana e alla sua storia – pronunciata e scritta in una lingua che è altra cosa rispetto al latino, con piena consapevolezza di questa alterità.

Noi siamo per una soluzione cronologicamente intermedia: diamo ragione a Francesco Sabatini, che ha colto questa coscienza della diversità fra le due lingue nell'estensore di un testo volgare che risale alla piena metà del IX secolo, e dunque segue di circa cent'anni l'*Indovinello veronese* ma ne precede di altrettanti il *Placito di Capua*: l'iscrizione graffita della Catacomba di Commodilla.

Il cimitero sotterraneo detto 'di Commodilla' (dal nome della fondatrice o donatrice del terreno sotto il quale fu allestito) venne usato dal III al V secolo d.C. dai cristiani dell'Aventino per seppellire i membri della loro comunità. Si trova a Roma: il suo ingresso è in via delle Sette Chiese 42, a circa cinquecento metri in linea d'aria dalla via Ostiense e dalla Basilica di San Paolo fuori le mura. La catacomba si dispone su tre piani, lungo ognuno dei quali si rincorrono gallerie e colonne di loculi scavati nelle pareti. Nel IV secolo d.C. vi furono sepolti due martiri, Felice e Adàutto; la cripta in cui furono deposti, situata nel piano centrale, fu poi trasformata in una basilica e decorata con affreschi che testimoniano la venerazione di cui i due santi furono oggetto. La basilichetta di Felice e Adàutto fu frequentata dai pellegrini fino alla metà del IX secolo, quando i pirati Saraceni invasero e devastarono tutta la zona di San Paolo, profanandola e saccheggiandola. La chiesetta sotterranea e la catacomba furono riscoperte solo nel 1903. Fra il VI e il VII secolo un romano evidentemente benestante fece realizzare all'interno della basilichetta, in memoria della madre che si chiamava Tortora, un grande affresco tuttora visibile sulla parete a sinistra di chi entra dalla galleria principale d'accesso. Il dipinto rappresenta la Madonna in trono con Gesù Bambino; al suo fianco ci sono Felice e Adàutto, il quale presenta alla vergine proprio Tortora.

L'affresco è ancora lì, possiamo ammirarlo. Se tornassimo indietro di dodici secoli, fra noi e il dipinto ci sarebbe un altare, perché la cripta era una chiesa sotterranea, e i sacerdoti vi celebravano la messa: la celebravano dando le spalle ai fedeli, come prescrivevano le regole liturgiche di allora, e non guardandoli in faccia, come prescrivono le regole liturgiche di oggi.

Il religioso officia, e noi assistiamo. Sia noi sia lui abbiamo di fronte l'affresco, noi a maggiore distanza rispetto a lui. A sinistra, su una fascia rossa che fa da cornice al dipinto, a poco più di un metro da terra, possiamo leggere (noi con difficoltà molto maggiore rispetto a lui) una piccola iscrizione graffita, alta undici centimetri e lunga sei centimetri e mezzo:

NON
DICE
REIL
LESE
CRITA
AB^{B}OCE

Possiamo trascrivere: «Non dicere ille secrita abboce» e parafrasare: «Non dire le orazioni segrete della messa a voce alta».

La scritta è piccola; anche per questo, probabilmente, l'incisore volle collocarla in un punto dove lo sguardo di chi celebrava la messa sarebbe sicuramente caduto. Anche oggi, di solito, il sacerdote che la officia ha il messale alla sua sinistra: mantenendo lo sguardo nella stessa direzione, il suo omologo dell'840-850 d.C. avrebbe dunque visto l'ammonimento.

Come facciamo a essere così sicuri della data della scritta? È difficile che risalga a più tardi della metà del IX secolo, perché in seguito la 'basilichetta' non fu più frequentata. Ma soprattutto, la scrittura usata rientra fra quelle praticate a Roma in quel periodo: la troviamo in altre iscrizioni sparse per la città la cui datazione è sicura.

Il suo autore, sicuramente un sacerdote, intese rimproverare (forse scherzosamente) un suo confratello che aveva la cattiva abitudine di recitare a voce alta alcune parti della messa – le cosiddette *secrete* – per le quali l'uso liturgico allora vigente a Roma prevedeva invece la recitazione a voce bassa.

La frase di cui ci stiamo occupando è scritta nel volgare che a quel tempo si usava a Roma. *Non dicere* è un imperativo negativo, uguale a quello che usiamo noi. La forma del comando negativo non è espressa così come sarebbe stata espressa nel latino classico (*ne dixeris*, *ne dicas* o *noli dicere*), ma con la negazione *non* seguita dall'infinito, come avveniva nel latino volgare e come tuttora avviene in italiano: *non cantare*, *non leggere*, *non dormire*.

Dicere può sembrare latino ma non lo è: è romanesco medievale. Anticamente, il volgare di Roma era molto lontano da quello di Firenze (che poi sarebbe diventato l'italiano), mentre era molto vicino ai volgari meridionali: nel napoletano, allora come ora, l'infinito del verbo *dico* era *dicere*, non *dire*.

Ille è già l'articolo determinativo femminile plurale, anche se qui compare nell'antica forma piena (*ille*) e non in quella ridotta propria dell'italiano attuale (*le*).

Nella Roma del IX secolo la parola che qui vediamo scritta *secrita* veniva pronunciata *secreta*: infatti, nella scrittura di allora, e anche in quella di parecchio tempo prima, la *e* chiusa (quella che troviamo in parole italiane come *béttola*, *céna* o *allégro*) veniva resa con *i*. *Secreta* era un femminile plurale, come nell'italiano attuale sono femminili plurali forme come *le braccia*, *le ciglia*, *le uova*. Nei testi romaneschi antichi ne troviamo altre, come per esempio *le palpebra* (*le palpebre*), *le artera* (*le arterie*), *le pecorella* (*le pecorelle*).

E veniamo, finalmente, alla forma più curiosa di tutta la scritta: quell'*abboce* che abbiamo interpretato come «a voce alta». In un primo tempo l'autore del graffito aveva scritto *aboce*; la seconda *b*, più piccola della prima, l'ha aggiunta dopo per sottolineare, forse con l'intenzione di prendere in giro chi l'avrebbe letta, che quella *b* andava pronunciata intensa o, come si dice comunemente, doppia. Anche nell'italiano parlato oggi la consonante iniziale di una parola che segue la preposizione *a* viene pronunciata doppia: diciamo *accàsa, ammàre, attùrno,* non *a casa, a mare, a turno*; e parole come *accanto*, *addietro, appunto*, che nascono da *a canto, a dietro, a punto*, le scriviamo con due consonanti, non con una. Perché? Perché la preposizione italiana *a* deriva da quella latina *ad*: la *d* latina, nel passaggio all'italiano, non è caduta, ma è stata assimilata dalla consonante iniziale della parola seguente. Così accadeva anche nel parlato della Roma medievale, in cui però, dopo la preposizione *a*, il suono iniziale della parola equivalente all'italiana *voce* non era *v*, ma *b*: per questo il graffitista ha scritto *abboce*.

Tirando le somme, la scritta è sicuramente in romanesco antico; ed è diversa da tutte le altre presenti nella catacomba, che sono iscrizioni funerarie in latino. L'autore era consapevole di adoperare un'altra lingua? Certamente sì: la frase, come abbiamo già accennato, è il rimbrotto di un religioso (che conosce e sa usare il latino) a un confratello che aveva la cattiva abitudine di recitare le orazioni segrete ad alta voce: «Non dicere ille secrita abboce!». Chi incise la scritta impiegò il volgare per sottolineare la rozzezza del destinatario, che trascurava una norma liturgica.

Purtroppo dobbiamo concludere questo racconto curioso e forse anche divertente con una nota triste. Il graffito è stato danneggiato nel 1971, quando nella basilichetta sono entrati dei ladri che, pensando che dietro l'affresco di Tortora ci potessero essere dei tesori, hanno preso l'intonaco a picconate, trovando solo loculi vuoti. L'affresco, in seguito, è stato restaurato, ma l'iscrizione non è stata restituita alla forma originaria e, danno nel danno, alcune lettere sono state inspiegabilmente ripassate. Anche in questo caso, dispiace dirlo, il rimedio è stato peggiore del male.

Adesso torniamo in superficie. Usciamo dalla Catacomba di Commodilla, e da via delle Sette Chiese raggiungiamo via della Garbatella, in direzione della Piramide di Caio Cestio. Dopo la Piramide, percorrendo e superando viale Aventino, saremo sopraffatti da più meraviglie. Sulla sinistra vedremo il Circo Massimo; proseguendo, proprio di fronte a noi apparirà l'Arco di Costantino; e andando ancora avanti, sulla destra cominceranno a spuntare gli archi del Colosseo.

Raggiunta la smisurata piazza del Colosseo, giriamo subito a destra, e finalmente siamo in via Capo d'Africa. La percorriamo tutta. È la strada stessa a guidarci, perché dopo circa un chilometro finisce, e le mura che la delimitano ci obbligano a girare a sinistra. Dopo un incrocio, sulla sinistra comparirà la nostra nuova meta: la piazza dove si trova la Basilica di San Clemente.

Scendiamo alcuni scalini, entriamo nella basilica e raggiungiamo il sotterraneo. Su un suo muro è conservato un affresco fatto eseguire verso la fine dell'XI secolo da un certo Beno e da sua moglie Maria, devoti di san Clemente, terzo successore di san Pietro al soglio pontificio, papa in un periodo a cavallo fra il I e il II secolo d.C.

Il muro di sostegno su cui è stato dipinto l'affresco risale al tempo del restauro della basilica, che fu fatto dopo il

1084; la nuova basilica, costruita sopra la chiesa più antica (che oggi è il sotterraneo), fu consacrata nel 1128. Perciò l'affresco dev'essere stato dipinto fra il 1084 e il 1128, probabilmente non molto tempo dopo la costruzione del muro, e dunque, come si è detto, intorno alla fine dell'XI secolo.

Il dipinto è diviso in due sezioni sovrapposte, separate da una larga fascia decorativa, nelle quali sono raffigurati due episodi miracolosi della vita di san Clemente, così come circolavano nella tradizione popolare medievale.

Nella parte più alta troviamo una rappresentazione dell'elezione di san Clemente a papa e, sotto questa, la descrizione del primo miracolo: Clemente celebra la messa mentre il suo persecutore pagano, il patrizio romano Sisinnio, convinto che il santo abbia convertito sua moglie al Cristianesimo per insidiarla, diventa cieco e sordo, punito da Dio per avere tentato di catturare Clemente durante la messa.

Nella parte più bassa, sotto la fascia decorativa, una terza raffigurazione rappresenta il secondo miracolo, capace di colpire la fantasia popolare ancora di più dell'altro: recuperati vista e udito per intercessione dello stesso Clemente, Sisinnio ordina ai suoi servi (che si chiamano Carboncello, Albertello e Gosmari) di imprigionare il santo, cosa che questi s'illudono di poter fare, ma non fanno: un prodigio fa sì che Clemente, che loro hanno legato e tentano di trascinare, sia trasformato in una pesante colonna. Né loro né Sisinnio si rendono conto del miracolo e continuano a vedere il corpo del santo, non la pietra.

Il verificarsi del prodigio determina uno scambio di battute che i personaggi pronunciano nel volgare parlato a quel tempo a Roma, scambio completato da una frase in latino che l'autore dell'affresco fa pronunciare al santo-colonna. Le varie battute sono state scritte accanto alle figure, un po' come accade nei fumetti; diversamente che nei fumetti, però, in cui le nuvolette che racchiudono le frasi dette o pensate si trovano accanto a chi le dice o le pensa, nel caso dell'iscrizione di san Clemente non è sempre così, e dunque non è facile stabilire con certezza chi dica che cosa.

Vediamo prima che cosa si dice, e poi proviamo a stabilire chi lo dica con l'aiuto del disegno esplicativo riprodotto alla pagina seguente.

Oggi l'affresco, a causa dell'umidità sotterranea, è in cattive condizioni; peraltro, un pessimo restauro realizzato fra il 1962 e il 1964 ha cancellato completamente le parti scritte. Il disegno che utilizzeremo è tratto da una ricostruzione che si deve a Claudio Marazzini.

L'affresco racconta il miracolo rappresentando, da sinistra a destra, un primo servo che fa leva con un bastone sotto la base di una colonna; poi la colonna stessa, disposta obliquamente sullo sfondo di un piccolo portico a due archi; e dopo la colonna, altri due servi che si sforzano di sollevarla con una corda legata al capo opposto; infine Sisinnio, con il braccio destro alzato, nel gesto di dare un ordine.

Nel primo riquadro a sinistra (A), sopra le spalle del primo servo, c'è scritto: «Falite dereto colo palo, Carvoncelle», cioè: «Fagliti dietro con il palo/mettiti dietro di lui con il palo, Carboncello».

Nel secondo riquadro, sopra la colonna che i servi tentano di trascinare, nel primo dei due archi (B) c'è scritto: «Duritiam cordis v(est)ris», e nel secondo (C) la continuazione: «saxa trahere meruistis», cioè: «Per la durezza del vostro cuore meritaste di trascinare sassi».

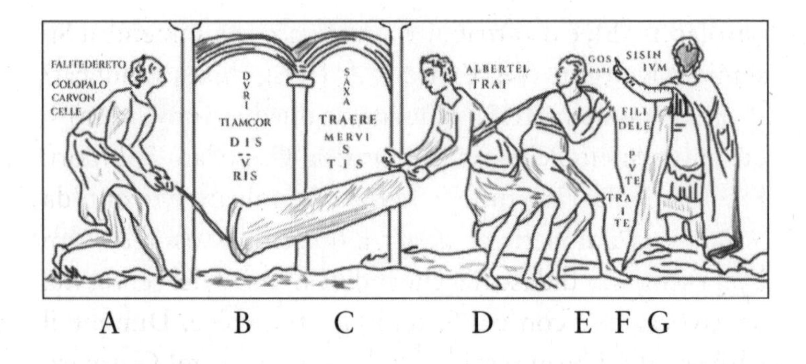

Nella parte sinistra del terzo riquadro (D), tra le teste dei due servi che provano a tirare la colonna, c'è scritto: «Albertel, trai(te)», cioè: «Albertello, tirate». A destra della testa dell'ultimo servo (E) c'è scritto: «Gosmari» (è il nome del servo stesso).

Infine, all'estrema destra dell'affresco (G), sopra il braccio destro di Sisinnio, è riportato il suo nome: «Sisinium», mentre sotto lo stesso braccio (F) c'è scritto: «Fili de le pute, traite», cioè: «Figli delle puttane, tirate».

Le quattro figure sono, da sinistra a destra, Carboncello, Albertello e Gosmari (i servi) e Sisinnio (il padrone).

Due interventi è facile attribuirli. La frase fra i due archi sopra la colonna, scritta in latino (con qualche improprietà, ma pur sempre solenne: B+C) riprende quasi alla lettera le parole severe che san Clemente rivolge a Sisinnio a conclusione del miracolo raccontato nella *Passio sancti Clementis*, un'opera agiografica che risale a prima del VI secolo d.C. dedicata al santo: «Duritia cordis tui in saxa conversa est, et cum saxa deos aestimas, saxa trahere meruisti» («La durezza del tuo cuore è convertita in pietra, e poiché stimi dei le pietre, hai meritato di trascinare le pietre»).

L'imprecazione volgare verso i servi, apostrofati con una

parolaccia (F), è da attribuire altrettanto sicuramente a Sisinnio. Ma le altre frasi e parole (A, D, E), chi le pronuncia?

Fra le molte ipotesi formulate, le due più convincenti si devono a Silvio Pellegrini e a Ornella Castellani Pollidori. Secondo Pellegrini, tutte le battute in volgare partono da Sisinnio e vanno lette da destra a sinistra. «Gosmari» non è una semplice didascalia che indica il nome del servo, ma un'invocazione con cui Sisinnio gli si rivolge. Dunque il padrone direbbe ai servi: «Fili de le pute, tràite! Gosmari, Albertel, tràite! Fàlite dereto colo palo, Carvoncelle!».

Secondo Castellani Pollidori, quest'interpretazione presenta alcuni punti deboli. Perché Sisinnio dovrebbe inveire prima ancora di dare ordini? È più naturale che perda le staffe dopo aver visto che gli ordini non funzionano, e che i suoi servi, inspiegabilmente, non portano via il santo. Inoltre, dato che Sisinnio vede il corpo di Clemente e non la pesante colonna, perché mai dovrebbe ordinare al servo di far leva sul corpo con un palo? Certo, anche i servi vedono san Clemente e non la colonna, ma il peso che sentono è quello di una colonna, non certo quello di un corpo: perciò si scambiano consigli sul da farsi. Sicché non solo le frasi vanno lette nel modo più naturale, e cioè da sinistra a destra («Fàlite dereto colo palo, Carvoncelle!»; «Albertel, Gosmari, tràite!»; «Fili de le pute, tràite!»), ma è sensato attribuire a Sisinnio solo l'ultima, e considerare le altre due uno scambio di battute fra Albertello e Gosmari da una parte e Carboncello dall'altra: Albertello e Gosmari, sentendo un peso spropositato, chiedono a Carboncello di aiutarli facendo leva con un bastone («Fàlite dereto colo palo, Carvoncelle!»); Carboncello, mentre fa leva col bastone, dà a sua volta istruzioni ai compagni («Albertel, Gosmari, tràite!»).

Dunque la tecnica di associazione delle frasi ai personaggi che le pronunciano è uguale a quella dei nostri fumetti solo nei due casi della sentenza di san Clemente e dell'imprecazione di Sisinnio; negli altri due, le battute dei servi sono vicine non a chi le pronuncia ma a chi ne è il destinatario.

Tutto, tranne il latino di Clemente, risulta scritto – come si è accennato – nel volgare così come doveva parlarsi a Roma alla fine dell'XI secolo. In particolare, bisogna precisare che quel *fili de le pute* va letto *figli delle putte*, perché così lo si pronunciava nel romanesco di allora.

Mentre il nome di Sisinnio è attinto all'agiografia relativa a san Clemente, quelli dei servi sono frutto dell'estro di chi ha fatto o ideato le scritte dell'affresco, e dunque sono stati presi dall'onomastica popolare romana contemporanea: *Albertello* è un nome d'origine franca (viene da *Adalberht*, «nobile-splendido»); *Gosmari* è frutto dell'incrocio fra una base greca (*Kosmàs*) e due suffissi, uno latino (*-arius*) e uno germanico (*-ari*); quanto a *Carvoncello*, vale la pena ricordare che Carbone (in latino *Carbo*) è un nome ben attestato nell'onomastica latina fin dal II secolo d.C.: *Carvoncello* è la sua forma diminutiva, derivata dal latino *Carbon(i)cellus*. La *-e* finale di *Carvoncelle* non è, come si potrebbe pensare, l'uscita di un vocativo ancora latino, ma il risultato di una trasformazione della *-o* finale di *Carvoncello* in *-e*, dovuta all'influsso della *e* presente nel suffisso *-ello*: la stessa uscita *-elle* si incontra in altri nomi medievali (come per esempio *Guidarelle, Iacovelle, Tomasselle* e altri) che si usavano nelle zone, non lontane, di Orvieto, Todi e Viterbo.

5

Padre Dante?

PER gli italiani Dante non è semplicemente Dante: è *padre Dante*, il fabbro della lingua.

Se cerchiamo «padre Dante» in Rete, scopriamo che compare milioni di volte. Ancora più sorprendente è che per la frase «Dante father of italian language» compaiano più di tre milioni di risultati. La prima constatazione da fare è che Dante è l'unico italiano al quale gli italiani hanno attribuito l'epiteto di *padre*: questa qualifica non è stata data ai creatori dell'unità d'Italia come Camillo Benso di Cavour o Giuseppe Garibaldi, e neppure a singoli membri dell'Assemblea Costituente della Repubblica Italiana come Alcide De Gasperi o Sandro Pertini. Il titolo di *padri* è stato attribuito, genericamente, ai *padri della patria* o ai *padri costituenti*, ma nessun italiano è come Dante, padre per antonomasia.

Forse, a meritare il titolo di padre della lingua potrebbero essere in molti. Perché non attribuirlo a Giacomo da Lentini, considerato il caposcuola dei rimatori della scuola poetica siciliana, oppure a Guido Faba, prosatore bolognese, o a Bono Giamboni, prosatore fiorentino, o ancora a Guittone d'Arezzo, poeta e prosatore aretino? Vissero tutti parecchio prima di Dante.

No. Il vero padre dell'italiano è Dante: quello che ha fatto lui per la lingua di tutti noi non è paragonabile, per profondità e vastità di risultati, all'opera di nessuno di quelli che lo hanno preceduto e, si potrebbe aggiungere, di nessuno di quelli che sono venuti dopo.

Dante era persuaso del fatto che il volgare italiano potesse essere usato per scrivere di scienza, di filosofia e di letteratura in modo eccellente, senza sfigurare rispetto a chi usava il latino. Mise nero su bianco queste idee tra la fine del 1302 e l'inizio del 1305, scrivendo un trattato intitolato *De vulgari eloquentia* («l'arte di esprimersi in volgare»).

Questo trattato è scritto (a partire dal titolo) in latino. Come mai Dante scrive in latino un'opera con cui vuole esaltare e diffondere l'uso del volgare? Sembra una contraddizione, ma non lo è. Il *De vulgari eloquentia* è un trattato di filosofia del linguaggio, e al tempo di Dante per scrivere di filosofia bisognava adoperare il latino; un po' come oggi, per comunicare, gli scienziati di tutto il mondo devono scrivere le loro pubblicazioni in inglese. Nel progetto originario il *De vulgari eloquentia* avrebbe dovuto essere una specie di enciclopedia della lingua organizzata in quattro libri. Dante, però, non completò l'opera e si fermò a metà del secondo.

Come in ogni enciclopedia che si rispetti, Dante parte dai 'primi princìpi'. Assodato che gli uomini sono gli unici esseri del creato dotati del dono della parola, chi fu l'essere umano che parlò per primo, e con quale lingua? Contestando la testimonianza della Bibbia, secondo la quale le prime parole pronunciate dal genere umano furono quelle rivolte da Eva al serpente, Dante esclude che un atto così nobile come quello del parlare sia potuto venire da una donna, un essere imperfetto che per di più stava per macchiarsi del peccato originale: a suo parere, era più probabile che il primo a parlare fosse stato Adamo, pronunciando la parola *El*, che in ebraico significa «Dio».

In principio, dunque, l'umanità parlò un'unica lingua, l'ebraico, creato da Dio insieme ad Adamo. Molte generazioni più tardi, però, gli uomini sperimentarono drammaticamente la diversità e la frammentazione delle lingue a causa del peccato di superbia che commisero con la costruzione della torre di Babele. Nell'antica città di Babilonia – racconta Dante reinterpretando l'episodio biblico – gli uomini, per istigazione del gigante Nembròt (o Nimrod), si erano messi a costruire una torre pensando di poter arrivare fino a Dio. Per compiere questa iniquità si era riunito quasi tutto il genere umano: alcuni facevano gli architetti, altri i muratori, altri ancora i falegnami. Fino ad allora tutti avevano parlato la stessa lingua, ma a un certo momento, dal cielo, li colpì una tale confusione che non si capirono più gli uni con gli altri: gli architetti ebbero una loro lingua, i falegnami un'altra, i muratori un'altra ancora. «Quanti erano i lavori che servivano per costruire la torre», scrive Dante, «tanti furono, da quel momento, i linguaggi parlati dall'umanità; e quanto più eccellente era stato il lavoro svolto, tanto più rozza e barbara divenne la lingua che dopo parlarono.»

Quest'ultima affermazione ci fa capire che, secondo Dante, la punizione di Dio fu diversa a seconda del grado di responsabilità dei vari gruppi umani nell'impresa di Babele: quanto più era stato importante il loro lavoro, tanto più rozza fu la lingua che Dio per punizione assegnò loro. Evidentemente, pur non avendo ancora scritto la *Divina Commedia*, Dante aveva ben chiaro il modo in cui l'avrebbe organizzata, e soprattutto aveva ben chiaro il criterio in base al quale avrebbe immaginato la punizione dei peccatori che popolano cerchi e gironi del suo celebre *Inferno*: nel reinterpretare questo episodio biblico, infatti, Dante applica ai peccatori di Babele lo stesso principio punitivo che avrebbe applicato ai peccatori dell'inferno, e cioè la legge del contrapasso (dal latino *contra* e *patior*, «soffrire il contrario»), il criterio in base al quale un peccatore viene punito con una pena che è contraria o analoga, ma comunque sempre proporzionata, alla colpa commessa. Tutti i dannati dell'*Inferno* dantesco sono colpiti da questa legge, e soffrono pene che ricordano per opposizione o per analogia i peccati di cui si sono macchiati in vita. Per esempio, le anime degli ignavi, che sulla terra vissero in modo inerte, senza assumersi responsabilità e senza prendere iniziative, sono condannate a correre incessantemente e senza meta, pungolate da mosconi e da vespe; viceversa, le anime dei lussuriosi, che in vita si lasciarono travolgere dalla tempesta delle passioni erotiche, nell'*Inferno* sono costantemente agitate da una tempesta implacabile. Nel *De vulgari eloquentia* Dante immagina, per i gruppi umani responsabili del peccato di Babele, una punizione divina ispirata al contrapasso, direttamente proporzionale al grado di responsabilità avuto nella costruzione della torre. Dio affibbiò agli architetti una lingua più rozza di quella che diede ai falegnami perché, nella costruzione della torre, l'attività direttiva dei primi era stata ben più importante di quella esecutiva dei secondi. Quanto a Nembròt, nell'*Inferno* Dante lo collocherà vicino a Lucifero, condannandolo a esprimersi in una lingua incomprensibile.

In seguito alla confusione linguistica gli uomini si sparsero in varie regioni del mondo. I discendenti di quelli che si stanziarono in Italia, racconta Dante, ai suoi tempi parlavano una lingua nella quale, per affermare, si diceva «sì». Proprio da qui è nata la famosa espressione che qualifica l'italiano come *lingua del sì*, formula che Dante avrebbe ripreso anche nella *Divina Commedia*, indicando l'Italia come il «bel paese là dove 'l sì suona» (*Inf.* XXXIIII 80).

Non dappertutto, tuttavia, e non tutti erano stati capaci di far suonare il «sì» con la medesima grazia ed eleganza: i migliori in questo campo erano stati ed erano, secondo Dante, i poeti della scuola siciliana e gli esponenti del cosiddetto 'dolce stil novo', un movimento poetico d'avanguardia che si sviluppò fra Bologna e Firenze tra la fine del Duecento e l'inizio del Trecento, e che ebbe fra i suoi protagonisti Dante stesso.

Com'era la lingua di Dante quando era un giovane stilnovista? Possiamo farcene un'idea leggendo le poesie che raccolse fra il 1293 e il 1294 nella *Vita Nuova* (o *Vita Nova*: la discussione sulla forma corretta del titolo è ancora aperta fra gli studiosi), l'opera in cui racconta un po' in prosa e un po' in versi la storia del suo amore per Beatrice e delle sue prime esperienze di poeta.

Sceglieremo il più famoso dei sonetti che Dante dedicò a Beatrice: *Tanto gentile e tanto onesta pare*. Per quanto sia noto a tutti, la sua lettura (o rilettura) riserverà delle sorprese: senza cadere nella retorica, è giusto dire che rileggere una poesia di Dante è un modo per riscoprirne la bellezza e coglierne aspetti sempre nuovi.

> Tanto gentile e tanto onesta pare
> la donna mia quand'ella altrui saluta,
> ch'ogne lingua deven, tremando, muta,
> e li occhi no l'ardiscon di guardare;
> ella si va, sentendosi laudare,
> benignamente e d'umiltà vestuta,
> e par che sia una cosa venuta
> da cielo in terra a miracol mostrare.
> Mostrasi sì piacente a chi la mira
> che dà per li occhi una dolcezza al core
> che 'ntender no lla può chi no lla prova:
> e par che de la sua labbia si mova
> un spirito soav'e pien d'amore,
> che va dicendo a l'anima: «Sospira».

Questa la versione del sonetto in prosa italiana contemporanea.

> La donna che è mia signora si mostra così nobile nell'animo e così ricca di decoro quando saluta qualcuno, che ogni lingua, tremando, diventa muta, e gli occhi non osano guardarla. Mentre si sente lodare, lei procede con benevolenza e coperta di umiltà; e sembra che sia una creatura venuta dal cielo sulla terra per far vedere che cos'è un miracolo. Si mostra così piena di bellezza a chi la guarda, che dà nel cuore, attraverso gli occhi, una dolcezza che chi non la sperimenta direttamente non può capire; e sembra che dal suo volto si muova uno spirito dolce e pieno d'amore che invita l'anima a sospirare (perché le è impossibile esprimere quella dolcezza a parole).

Le differenze fra i due testi non riguardano tanto la forma della lingua, che è quasi identica, ma la sostanza, il significato delle parole. Per limitarci ai primi due versi, perché la parola *donna* del v. 2 è diventata «signora», come mai l'aggettivo *gentile* del v. 1 si è trasformato in «nobile nell'animo» e come mai, soprattutto, il *pare* del v. 1 è stato reso con «si mostra»? Le ragioni sono molte. Alcune dipendono dalla storia dell'italiano e dalle sue origini latine: la parola *donna*, per esempio, deriva dal latino *domina* (cioè, per l'appunto, «signora»), mentre l'aggettivo *gentile* proviene da *gentilis*, che nel latino medievale significava «nobile», e non «gentile». In altri casi, i significati diversi rispetto a quelli dell'italiano attuale dipendono dal fatto che Dante e i suoi colleghi stilnovisti davano ad alcuni termini una valenza filosofica particolare: il verbo *parere*, per esempio, nel linguaggio tecnico dei poeti del dolce stil novo non significava «sembrare», ma «manifestarsi con evidenza». Se attribuissimo al *pare* del primo verso del sonetto il significato attuale del verbo *parere*, dovremmo concludere che Dante, anziché lodare Beatrice, abbia voluto insultarla: «Beatrice *sembra* gentile e onesta, ma non lo è...».

Ciò che più colpisce, e che rende questa poesia un prodigio di perfezione, è la delicatezza rarefatta delle parole. Chiunque legga questi versi non può fare a meno d'immaginare una Beatrice straordinariamente bella. Eppure, in tutta la poesia non c'è neanche un riferimento al suo aspetto fisico! Quest'assenza dipende da due ragioni, una di ordine storico-culturale, l'altra di ordine storico-linguistico. Sul piano storico-culturale, occorre ricordare che per Dante la bellezza è esclusivamente spirituale e non fisica; sul piano storico-linguistico, è importante segnalare che per Dante (così come per i poeti delle generazioni precedenti e di molte generazioni successive, a cominciare da Francesco Petrarca) la lingua della poesia deve allontanarsi dai modi e dalle forme della comunicazione quotidiana. Il poeta deve tenersi a debita distanza dalla banale realtà ordinaria, o evitando di nominarla o, se proprio è obbligato, adoperando forme, parole e frasi non ovvie né comuni. Le caviglie, le spalle e le ginocchia della donna amata sono innominabili; al massimo, si possono ricordare i suoi occhi, possibilmente evitando di chiamarli con il loro nome, e piuttosto evocandoli come *rai* («raggi»). E se il pensiero dell'amata «muove il cuore dell'amante che ne muore», il poeta scrive che «*move* il *core* dell'amante che ne *more*», rifacendosi alle forme latine *moveo*, *cor*, *morior*, con la semplice vocale *o*, piuttosto che alle forme toscane *muove, cuore, muore*, che presentano il dittongo *uo*.

Attenzione, però. Quella che abbiamo presentato è la lingua del Dante giovane esponente della raffinata scuola del dolce stil novo, non certo la lingua della *Divina Commedia*.

Nel primo libro del *De vulgari eloquentia*, Dante elabora una sua personale teoria (detta della *convenientia*) in base alla quale la lingua e lo stile di un'opera devono adattarsi ai temi trattati, e dunque devono essere eleganti e raffinati se si affrontano argomenti elevati (quali, per esempio, l'amore o la virtù morale), mentre possono essere poco eleganti o addirittura rozzi se si affrontano argomenti bassi. La *Divina Commedia* è un'opera caratterizzata da una straordinaria molteplicità di contenuti, alla quale, per la teoria della *convenientia*, corrisponde una grande varietà di lingua e di stile: Dante la chiamò *Commedia* (anzi, *Comedìa*: l'aggettivo *Divina* è stato aggiunto dopo da Lodovico Dolce, curatore di un'edizione dell'opera uscita nel 1555), perché si trattava di un'opera scritta in stile *comico*, che a quei tempi non voleva dire «divertente», ma «caratterizzato dalla presenza contemporanea di più modelli di lingua e di stile».

E infatti, la *Divina Commedia* è caratterizzata da una gran varietà sia di lingue sia di stili: di lingue, perché in essa sono presenti frasi in latino, una frase in provenzale, forme o parole di altri dialetti d'Italia e un numero altissimo di latinismi; di stili, perché della lingua adoperata per scrivere l'opera Dante sperimentò tutte le gamme, tutte le possibilità, tutti i toni, da quello alto o addirittura sublime, a quello basso e perfino osceno.

Che lingua parla Dante nella *Divina Commedia*, e in che lingua la scrive?

Chi lo incontra nell'inferno riconosce che parla fiorentino. Il concittadino Farinata degli Uberti gli dice (*Inf.* X 22-27):

O tosco, che per la città del foco
vivo ten vai così parlando onesto,
piacciati di restare in questo loco.
La tua loquela ti fa manifesto
di quella nobil patrïa natio
a la qual forse fui troppo molesto

che, in italiano moderno, diventa:

O toscano che te ne vai vivo per l'inferno parlando in modo così pieno di decoro, fermati in questo luogo: la tua parlata mostra chiaramente che tu sei nativo di quella nobile patria nei confronti della quale forse io fui troppo molesto.

E il pisano Ugolino della Gherardesca gli si rivolge con queste parole (*Inf.* XXXIII 10-12):

> Io non so chi tu se', né per che modo
> venuto se' qua giù, ma fiorentino
> mi sembri veramente quand'io t'odo.

Cioè, parafrasando:

> Io non so chi sei, né in che modo sei venuto quaggiù nell'inferno; ma quando ti sento parlare, mi sembri proprio fiorentino.

Quanto alla lingua in cui la *Commedia* è stata scritta: del poema (come pure delle altre opere di Dante) non abbiamo autografi, ma solo centinaia e centinaia di copie manoscritte. Quale sarà stata, esattamente, la lingua dell'originale? Chi ha studiato puntigliosamente questi codici concorda nel sostenere che questa lingua si identifica nel fiorentino della fine del Duecento e dell'inizio del Trecento, e che certamente, come ha scritto Ignazio Baldelli, «la *Commedia* risulta nel suo insieme l'opera più fiorentina di Dante, nella sua struttura fonetica, morfologica e sintattica e nel lessico fondamentale».

Del fiorentino, come abbiamo accennato, Dante sperimentò tutti i toni, dal più alto al più basso. Partiremo da un esempio di lingua bassa, traendolo dai primi versi (1-6 e 22-27) del XXVIII canto dell'*Inferno*, in cui Dante incontra i seminatori di discordia. Anche la loro pena è ispirata alla legge del contrapasso: dato che hanno procurato discordie e lacerazioni fra gli uomini, sono costantemente lacerati nel corpo da un diavolo che li ferisce crudelmente con la spada. All'inizio del canto, Dante avverte il lettore che le parole sono inadeguate a descrivere le immagini tremende della loro pena:

> Chi poria mai pur con parole sciolte
> dicer del sangue e delle piaghe a pieno
> ch'i' ora vidi, per narrar più volte?
> Ogne lingua per certo verria meno
> per lo nostro sermone e per la mente
> c'hanno a tanto comprender poco seno.

Chi potrebbe mai, anche in prosa, con parole sciolte da obblighi metrici, raccontare bene del sangue e delle ferite che io vidi in questa circostanza, pur tentando a più riprese di arricchire e rendere sempre più efficace la sua narrazione? Ogni lingua verrebbe certamente meno, perché sia la nostra lingua sia la nostra mente non hanno abbastanza capacità per poter concepire ed esprimere tanto.

Il compito poetico di Dante, in questo caso, non è quello di allontanarsi dalla realtà, ma, al contrario, di descriverla in modo crudo, come in un affresco cruento in cui i corpi dei seminatori di discordia sono orrendamente mutilati dai diavoli. Immagini *pulp*, diremmo oggi, come quella che descrive l'anatomia squarciata di uno di questi peccatori:

> Già véggia per mezzul perdere o lulla,
> com'io vidi un, così non si pertugia,

rotto dal mento infin dov'e' si trulla.
Tra le gambe pendevar le minugia;
la curata pareva e 'l tristo sacco
che merda fa di quel che si trangugia.

Già una botte, per aver perduto un mezzullo o una lulla [due pezzi che ne formano il fondo] non appare così rotta e sfasciata, come io vidi rotto e sfasciato un tale dal mento fino all'ano, il posto dove si scorreggia. Tra le gambe gli pendevano le budella; si mostravano all'esterno le interiora e lo stomaco, quel sacco lurido che trasforma in merda quello che si butta giù.

Altro che allontanarsi dalla realtà evitando di nominare le parti del corpo umano! Applicando una scelta diametralmente opposta a quella praticata nell'evocare la bellezza eterea di Beatrice, Dante descrive la bruttezza disgustosa di questi dannati ricorrendo a parole anche troppo realistiche, rozze e oscene. *Curata* e *minugia* sono termini di macelleria: i macellai di Firenze li adoperavano, al tempo di Dante, per indicare, rispettivamente, le interiora e le budella degli animali. Qualche verso più avanti, questo Dante 'basso' supera sé stesso, e per indicare l'*ano* e lo *stomaco* (termini di per sé ben poco poetici: potremmo mai immaginare, nella *Vita Nuova*, un riferimento allo stomaco o addirittura all'ano di Beatrice?), usa due perifrasi triviali: *l'ano* è il posto dove «si trulla» (*trullare* è un verbo scurrile che, nel fiorentino del Trecento, significa «fare rumori sconci»), mentre lo *stomaco* è «il tristo sacco che merda fa di quel che si trangugia». A queste cadute verso una lingua bassa si accompagnano alcune rime che Dante chiama «aspre», create con parole rare e caratterizzate da suoni lugubri o stridenti: *lulla*: *trulla*; *minugia*: *trangugia*. Siamo ben lontani dalle rime 'alate' create per lodare Beatrice: *mira*: *sospira*; *core*: *amore*...

Il lessico basso è disseminato in tutto l'*Inferno*. Dante vi accoglie parole come *anguinaia* («inguine»), *appuzzare* («riempire di puzza»), *bordello* (che viene dal francese antico *bordel*, «capanna», «postribolo», ed è largamente diffuso in testi toscani e non toscani del Due-Trecento), *culo*, *fica* (nell'espressione *fare le fiche*, che indica un gesto osceno della cui forma ancora si discute), *grattare*, *groppone*, *guercio*, *intronare* («assordare con rumori eccessivi»), *letame*, *merda*, *puttana*, *ringhiare*, *rogna*, *ruffiano*, *sciancato*, *sterco* e così via.

La discesa verso il basso del lessico della *Commedia* non si esaurisce qui. Dante si serve, per primo, di parole prese da altre lingue che adatta al fiorentino o che crea: *accaffare* («afferrare», «arraffare», dal probabile arabismo *caffo*, «palma della mano»), *acceffare* («afferrare col muso», «azzannare», dal francesismo *ceffo*), *accoccare* («assestare» un colpo), *aggueffarsi* («aggiungersi», «accumularsi», da *gueffa*, «matassa»), *bastardo* («persona spregevole», dal francese *bastard*), *broda* («brodaglia», «acqua sporca di fango»), *ingozzare, lezzo, merdoso, minugia, moncherino, monco, muffa, strozza, teschio, trullare* («emettere peti»).

Dopo tanto fetore, sarà meglio piegare verso le altezze del paradiso, là dove Dante ha il compito di celebrare la gloria di Dio e la felicità dei santi. Qui, un bell'esempio di lingua sublime ci è offerto dai primi dodici versi del canto XXXI: Dante, ormai giunto nell'Empireo (l'ultimo cielo del paradiso, sede di Dio e dei beati), vede la moltitudine dei santi, che gli appare come una «candida rosa», i cui petali sono costituiti dalle bianche vesti dei beati, cioè dai loro corpi ripieni di luce. Sulla rosa volteggiano, ora calandosi nel fiore, ora risalendo verso la luce di Dio, gli angeli, simili a sciami di api che volano senza sosta tra i fiori e l'alveare.

> In forma dunque di candida rosa
> mi si mostrava la milizia santa
> che nel suo sangue Cristo fece sposa;
> ma l'altra, che volando vede e canta
> la gloria di colui che la 'nnamora
> e la bontà che la fece cotanta,
> sì come schiera d'ape che s'infiora
> una fïata e una si ritorna
> là dove suo laboro s'insapora,
> nel gran fior discendeva che s'addorna
> di tante foglie, e quindi risaliva
> là dove 'l süo amor sempre soggiorna.

> L'esercito dei santi che Gesù sposò col suo sacrificio mi si mostrava nella forma di una candida rosa; invece l'altro esercito, quello degli angeli (che volando vedono e cantano la gloria di colui per il quale provano amore, cioè Dio, la cui bontà rese la loro natura tanto grande), scendeva nella rosa, il grande fiore che si orna di tante foglie, e da lì risaliva verso la dimora di Dio, proprio come fa uno sciame d'api, che una volta si immerge nel fiore e un'altra ritorna nell'alveare, là dove il frutto della sua fatica si insaporisce, trasformandosi in dolce miele.

Soffermiamoci per un attimo sulla similitudine attraverso la quale Dante paragona il volo degli angeli a quello di una schiera di api. Il ricorso alle similitudini è molto frequente nella *Divina Commedia*. Dante si rifà alla grande poesia greca e latina, e soprattutto alle sacre scritture: il Vecchio e il Nuovo Testamento, infatti, sono ricchissimi di similitudini. La tipologia delle similitudini dantesche cambia moltissimo passando dall'*Inferno* al *Paradiso*. Nel XXVIII canto dell'*Inferno*, di tono basso e crudamente realistico, per spiegare com'era squarciato il corpo degli scismatici Dante lo paragona a una botte che perde i pezzi; nel XXXI canto del *Paradiso*, di tono alto e contemplativo, per descrivere il volo luminoso della schiera degli angeli lo paragona a quello di uno sciame d'api che si muove tra la lucentezza dei fiori e la dolcezza del miele. Inoltre, Dante impreziosisce questa similitudine con latinismi (*candida*, *milizia*, *gloria*, *laboro* sono parole che prende direttamente dagli scrittori latini, non dalla lingua del popolo) e con parole rare e dal significato originalissimo, come per esempio *infiorarsi* («penetrare nei fiori») e *insaporarsi* («prendere sapore», «diventare dolce»).

La *Commedia* può essere considerata un'enciclopedia medievale in volgare del sapere del tempo. Vi sono presenti, infatti, le parole che Dante ricavò dalle scienze, dalle tecniche e dalle arti, termini in molti casi latini, in altri greci e in altri ancora arabi. Si va dalle parole dell'astronomia: *cenìt* («zenit»), *emisperio*, *empireo*, *galassia*, *meridiano*, *orbita*, *orizzonte*, *plenilunio*, *settentrione*, *zona*, a quelle della geometria: *arco*, *circumferenza*, *diametro*, *parallelo*, *quadrare*, *triangolo*; dalle parole della medicina: *cervel*, *coagulare*, *complessione* («costituzione fisica»), *febbre aguta*, *idropico*, *quartana*, a quelle della musica: *arpa*, *giga* (strumento a corda e archetto), *leuto*.

Nel lessico della *Commedia* sono presenti anche numerosi gallicismi, cioè parole provenienti dal francese e dal provenzale. Particolarmente interessanti sono per noi i termini che non erano entrati nell'uso quotidiano, che Dante probabilmente aveva letto nelle opere dei poeti coetanei o dei loro predecessori, e che ritrovava nei poeti francesi e provenzali. Compaiono nella *Commedia* francesismi come *bolgia*, *dispregio*, *gabbo* («scherzo»), *gioia*, *obliare*, *retaggio*, *sire* e provenzalismi come *artiglio*, *augello*, *donneare* («conversare con donne»), *leggiadria*, *noia*, *periglio* («pericolo»), *speglio* («specchio») e molte parole che terminano in *-anza*, come *amanza*, *beninanza*, *dilettanza*, *orranza* («onoranza»), *possanza*, *rimembranza*, *speranza* eccetera.

Un capitolo a parte è rappresentato dai cosiddetti 'dantismi', cioè i neologismi coniati da Dante: l'elenco delle parole nate dalla capacità onomaturgica di Dante è lunghissimo, ma vale la pena di citare almeno l'aggettivo *accidioso*, i sostantivi *contrapasso* e *veltro* (cane da caccia forte e veloce, simile al levriero). Numerosissimi i verbi: *squadernare*, *trascolorare* («cambiare colorito del volto»), *trasumanare* («andare al di là dei limiti della natura umana»), *trasvolare* («volare da un punto all'altro»); e poi quelli composti con il prefisso *in-*, un nome o un aggettivo o un pronome o un avverbio e la desinenza *-are* (o meglio *-arsi*, perché sono tutti verbi riflessivi): *immiarsi* («penetrare in me», «diventare me»), *inmillarsi* («moltiplicarsi in più migliaia»), *incinquarsi* («ripetersi per cinque volte»), *inforsarsi* («apparire incerto»), *infuturarsi* («prolungarsi nel futuro»), *inleiarsi* («penetrare in lei», «diventare lei»), *inluiarsi* («penetrare in lui», «diventare lui»), *intuarsi* («penetrare in te», «diventare te»), *inurbarsi* («entrare in città»), *inzaffirarsi* («adornarsi luminosamente come di zaffiri»).

Ma Dante non si limitò a creare nuove parole (alcune delle quali sono poi entrate per sempre nel lessico italiano); inventò anche nomi di luogo e di persone per indicare in modo fortemente espressivo luoghi e personaggi infernali. Ricorderemo almeno *Malebolge*, il nome delle dieci bolge («sacche») concentriche che formano l'ottavo cerchio dell'inferno, e poi *Caina*, *Antenora*, *Tolomea* e *Giudecca*, i nomi delle quattro zone del nono cerchio dove sono puniti i traditori dei parenti (come Caino), della patria (come il troiano Antenore), dei congiunti (come il re ebraico Tolomeo) e infine Bruto e Cassio, traditori di Cesare, e – naturalmente – Giuda, traditore di Cristo.

Altrettanto fantasiosi i nomi dei demoni: dal nome collettivo *Malebranche* (*male* è l'aggettivo *malo*, «cattivo»; *branche* significa «artigli») dato al gruppo dei diavoli posti a custodia della quinta bolgia dell'ottavo cerchio dell'inferno (*Inf.* XXI 37 e ss.) a quelli singoli, creati per sottolinearne la natura malvagia: *Malacoda*, *Barbariccia*, *Graffiacane*, *Cagnazzo*, *Scarmiglione* (da *scarmigliare*, «arruffare i capelli»), *Draghignazzo* (per il suo *ghigno* da *drago*), *Rubicante* («rosseggiante» per l'ira), *Calcabrina* («che sfiora la brina», probabilmente per la corsa veloce), *Libicocco* («impetuoso come il vento», anzi come due venti: il *libeccio* e lo *scirocco*) e infine *Ciriatto* (da *ciro*, «porco»).

La fortuna della *Commedia* è provata dalla popolarità delle espressioni dantesche entrate nella lingua comune degli italiani, indipendentemente dal loro livello di cultura: gli *dèi falsi e bugiardi* (*Inf.* I 72), *lo bello stilo* (*Inf.* I 87), far *tremar le vene e i polsi* (*Inf.* I 90), *color che son sospesi*

(*Inf.* II 52), il *ben de l'intelletto* (*Inf.* III 18), il *gran rifiuto* (*Inf.* III 60), le *dolenti note* (*Inf.* V 25), la *morta gora* (*Inf.* VIII 31), le *femmine da conio* (*Inf.* XVIII 66), il *folle volo* (*Inf.* XXVI 125), il *fiero pasto* (*Inf.* XXXIII 1).

A queste espressioni si possono aggiungere i versi della *Commedia* divenuti proverbiali: *Nel mezzo del cammin di nostra vita* (*Inf.* I 1), *Per me si va ne la città dolente; / per me si va nel'etterno dolore, / per me si va tra la perduta gente* (*Inf.* III 1-3), *Lasciate ogni speranza, voi ch'entrate* (*Inf.* III 9), *Non ragioniam di lor, ma guarda e passa* (*Inf.* III 51), *vuolsi così colà dove si puote / ciò che si vuole, e più non dimandare* (*Inf.* III 95-96 e V 23-24), *Amor, ch'a nullo amato amar perdona* (*Inf.* V 103), *Nessun maggior dolore / che ricordarsi del tempo felice / nella miseria* (*Inf.* V 121-123), *Galeotto fu il libro e chi lo scrisse* (*Inf.* V 137), *e caddi come corpo morto cade* (*Inf.* V 142), *ed elli avea del cul fatto trombetta* (*Inf.* XXI 139), *fatti non foste a viver come bruti, / ma per seguir virtute e canoscenza* (*Inf.* XXVI 120), *Poscia, più che 'l dolor, poté 'l digiuno* (*Inf.* XXXIII 75), *Ahi Pisa, vituperio dele genti / del bel paese là dove 'l 'sì' suona* (*Inf.* XXXIII 79-80), *libertà va cercando, ch'è sì cara, / come sa chi per lei vita rifiuta* (*Purg.* I 71-72), *Ahi serva Italia! di dolore ostello, / nave sanza nocchiere in gran tempesta: / non donna di province, ma bordello* (*Purg.* VI 76-78), *Era già l'ora che volge il disio / a' navicanti e 'ntenerisce il core / lo dì ch'han detto ai dolci amici 'a Dio'* (*Purg.* VIII 1-3), *Le leggi son: ma chi pon mano ad esse?* (*Purg.* XVI 97), *O insensata cura de' mortali, / quanto son difettivi silogismi / quei che ti fanno in basso batter l'ali!* (*Par.* XI 1-3), *Tu proverai sì come sa di sale / lo pane altrui, e come è duro calle / lo scendere e 'l salir per l'altrui scale* (*Par.* XVII 58-60), *Così la neve al sol si disigilla* (*Par.* XXXIII 64), *L'amor che move il sole e l'altre stelle* (*Par.* XXXIII 145).

Il successo della *Commedia* fu immediato, anche negli ambienti popolari. Fra il 1339 e il 1341 il fiorentino Domenico Lenzi (o Benzi), venditore di biade, redasse un quaderno (detto *Libro del Biadaiolo*) in cui raccolse, insieme ai prezzi mensili dei grani e delle biade, alcune note di diario. Una fu completata da una citazione dantesca: «Ahi dura terra, perché non t'apristi?» (*Inf.* XXXIII 66). La *Commedia* diventò un libro così diffuso che si pensò di tassarlo. Se lo contendevano e ne imparavano i versi tutti, colti e meno colti.

Insieme al successo sopraggiunsero, come succede sempre, anche le critiche. La più severa arrivò da un personaggio che, come vedremo, contò moltissimo nella storia dell'italiano. Nelle *Prose nelle quali si ragiona della volgar lingua* (1525), Pietro Bembo mise in discussione la qualità della lingua della *Commedia*: riconobbe la grandezza di Dante, ma gli rimproverò le parole basse usate nel poema, paragonando la sua opera a un campo di grano bello e spazioso, ma rovinato dal loglio (una pianta infestante) e dalle erbacce, oppure a una vite non potata, carica di belle uve ma guastata da foglie, pampini e viticci.

Non ci permetteremo certo di contraddire il grande Pietro Bembo, ma «il grano e il loglio» del poema sacro rappresentano l'essenza stessa della lingua italiana. Quando, all'inizio del Trecento, Dante cominciò a scrivere la *Commedia*, il vocabolario fondamentale di quello che è l'italiano di oggi era già formato per il 60 per cento; alla fine di quello stesso secolo, dunque dopo la composizione e la diffusione del poema, la percentuale era salita all'81,5 per cento.

Il vocabolario fondamentale dell'italiano, ha spiegato Tullio De Mauro, è costituito da circa duemila parole di larghissimo uso, con le quali realizziamo oltre il 90 per cento delle nostre comunicazioni parlate e scritte. E più di milleseicento di queste duemila parole indispensabili sono già presenti nella *Commedia*, il più importante serbatoio a cui ha attinto, e tuttora attinge, non solo e non tanto la lingua più o meno complessa e rarefatta degli intellettuali, ma anche e soprattutto la nostra lingua comune. Tanto basti a dimostrare che il titolo di 'padre della lingua italiana' Dante lo merita davvero.

6

Perché Dante, Petrarca e Boccaccio sono chiamati 'le Tre Corone'?

L'ESPRESSIONE 'le Tre Corone', con la quale vengono evocati, tutti insieme, tre giganti della letteratura italiana (Dante, Petrarca e Boccaccio), può venire da suggestioni diverse, e non è facile scegliere quella che davvero la motivò.

Una corona può indicare per metonimia un re (anche nell'italiano di oggi, il *discorso della corona* è quello pronunciato in occasioni particolari da un re o da una regina), e dunque l'espressione può alludere al fatto che Dante, Petrarca e Boccaccio sono i re della nostra letteratura e della nostra lingua.

Una corona particolare, fatta di alloro intrecciato, può anche cingere la testa di un poeta. Petrarca fu incoronato poeta nel 1341 a Roma; Dante e Boccaccio non ebbero lo stesso riconoscimento ufficiale, ma in vari dipinti che li ritraggono una bella corona d'alloro – in latino, *laurea* – adorna anche le loro teste.

Forse, la formula 'Tre Corone' rinvia alla divina Trinità; forse rinvia ai tre Re Magi, oppure alle tre corone di cui si compone la tiara pontificale, il copricapo che ornò la testa dei papi da Clemente V a Paolo VI (pontefici, rispettivamente, dal 1305 al 1314 e dal 1963 al 1978). Le tre corone della tiara simboleggiavano i tre poteri esercitati dal papa, che nella formula d'incoronazione veniva dichiarato «padre dei prìncipi e dei re, rettore del mondo, vicario in terra di Cristo».

Quale che sia l'associazione originaria, è chiaro che la qualifica di 'Tre Corone' riconosce a Dante, a Petrarca e a Boccaccio un primato assoluto nella storia della nostra letteratura e della nostra lingua. Le ragioni che legittimano l'assegnazione di questo primato all'autore della *Commedia* le abbiamo viste nel capitolo precedente. Quali sono, invece, quelle che obbligano ad affiancargli Francesco Petrarca e Giovanni Boccaccio?

Cominciamo da Petrarca (1304-1374). Qualcuno potrebbe obiettare che il titolo di 'Corona' non dovrebbe essergli riconosciuto per l'italiano, dal momento che scrisse la maggior parte delle sue opere in latino. Come mai fece questa scelta? Perché aveva maggiore familiarità con il latino che con il fiorentino del Trecento, che pure era la sua lingua materna (il padre era un notaio di Firenze esule in Francia per ragioni politiche): scriveva abitualmente in latino, imitava gli scrittori latini che erano alla base della sua cultura (Virgilio, Cicerone, Seneca, sant'Agostino) e non pensava affatto, a differenza di Dante, che il volgare fosse il «sole nuovo», la lingua che avrebbe diffuso il sapere fra i ceti emergenti della società comunale. Al contrario, era convinto che la gloria gli sarebbe arrivata grazie alle opere scritte in latino, e in questa lingua scrisse, infatti, di tutto: dalle lettere – con le quali comunicava normalmente con gli intellettuali d'Italia e d'Europa – agli appunti personali, dai testi di argomento filosofico a quelli di tipo narrativo. Fece un'eccezione, però, quando decise di scrivere quello che è considerato il primo 'libro di versi' della nostra poesia: un *Canzoniere*, cioè una raccolta di componimenti lirici legati da un unico filo conduttore (a cui comunque diede un titolo latino, *Rerum vulgarium fragmenta*, cioè «Frammenti di cose volgari»). Francesco scelse il volgare fiorentino soltanto perché voleva mettersi alla prova e sperimentare le possibilità della nuova lingua nel genere più alto e raffinato, la poesia. Definì questo suo passatempo poetico ancora una volta con una parola latina: *nugae*, *nugellae* («inezie», «bazzecole», «cose prive d'importanza»). Eppure, a questo passatempo di poco conto Petrarca dedicò tutta la vita, scrivendo ben trecentosessantasei componimenti poetici in volgare, raccolti in un prezioso manoscritto autografo oggi custodito nella Biblioteca Apostolica Vaticana, il codice Vaticano Latino 3195, detto 'latino' non perché sia stato scritto in lingua latina, ma perché fu scritto usando l'alfabeto latino, cioè il nostro alfabeto.

Oltre a questo manoscritto, la Biblioteca Vaticana ne conserva un altro, prezioso quanto il primo: il codice Vaticano Latino 3196, detto 'codice degli abbozzi', perché è una specie di brutta copia dell'altro. Il confronto fra i due manoscritti ci permette di immaginare Petrarca all'opera, mentre corregge, modifica e perfeziona la lingua delle sue poesie.

Di che cosa parlano, e in che tipo di lingua sono scritte le poesie in volgare di Petrarca? Prima di tutto, il *Canzoniere* petrarchesco è dedicato all'amore per Laura, che il poeta incontrò per la prima volta nella chiesa di Santa Chiara il 6 aprile 1327 e che morì il 6 aprile 1348. Le trecentosessantasei poesie che lo compongono narrano la storia di questo amore, durato anche oltre la morte di lei: quasi un diario amoroso, che va dal sonetto iniziale, nel quale si dichiara la vanità e l'inutilità delle passioni, che procurano solo pentimento e vergogna, fino alla canzone finale alla Vergine, in cui tutti i sentimenti umani e terreni si placano per sempre. I componimenti non raccontano episodi: descrivono, piuttosto, stati d'animo e situazioni psicologiche. La donna cantata da Petrarca, però, non è la donna-angelo degli stilnovisti; non è la creatura mandata da Dio in terra per donare beatitudine, come la Beatrice di Dante. Laura è una donna fatta non solo di anima ma anche di corpo, intorno alla quale il poeta ricostruisce, in frammenti raffinatissimi, la storia del suo amore non corrisposto. Se togliamo il primo sonetto introduttivo, le poesie sono in tutto trecentosessantacinque, con una corrispondenza non casuale tra il loro numero e quello dei giorni dell'anno: scrivendo il *Canzoniere* Petrarca vuole allestire una specie di diario d'amore in versi, idealizzato e trasformato attraverso il ricordo.

Il *Canzoniere*, come abbiamo detto, è scritto in volgare fiorentino. Da questo fiorentino, però, Petrarca eliminò tutte le parole e tutte le forme che gli parevano troppo 'locali' (troppo fiorentine, potremmo dire). In questo lavoro di correzione, il poeta annotava in brevi postille (scritte, nemmeno a dirlo, in latino) tutti i suoi dubbi e le sue perplessità: «Hoc placet pre omnibus» («Questa versione mi piace più di tutte le altre»), «Dic aliter hic» («Qui esprimiti in un altro modo»), e così via.

Le poesie del *Canzoniere* si basano su un lessico rarefatto e volutamente vago: le parole sono scelte una per una, dopo un'operazione di selezione che setaccia ed elimina tutto ciò che appare troppo realistico e materiale. Anche quantitativamente, le parole che compongono il vocabolario petrarchesco sono solo tremiladuecentosettantacinque in tutto.

Per immaginare la lingua di cui si servì Petrarca, potremmo pensare a un mosaico composto da un numero limitato di tessere, spostando le quali il poeta, in un gioco di grande virtuosismo, riesce a esprimere tutte le sfumature del sentimento d'amore, in versi ben lontani dal realismo della *Commedia* dantesca, depurati da ogni forma considerata troppo bassa per la poesia. Nelle rime di Petrarca non entrano quasi mai particolari fisici (il sostantivo *labbra* e l'aggettivo *magro* compaiono una sola volta, e la forma plurale *occhi*, più vaga e indeterminata, è preferita al singolare *occhio*, forse avvertito come troppo concreto).

Vediamo dunque di quali parole sono fatte queste poesie, e in particolare un sonetto famosissimo nel quale Petrarca proclama il suo amore, eterno e immutato nel tempo, per Laura. Anche in questo caso confronteremo il testo originale con la versione in un italiano comune, dei nostri giorni:

> Erano i capei d'oro a l'aura sparsi
> che'n mille dolci nodi gli avolgea,
> e 'l vago lume oltra misura ardea
> di quei begli occhi ch'or ne son sì scarsi;
> e 'l viso di pietosi color' farsi,
> non so se vero o falso, mi parea:
> i' che l'ésca amorosa al petto avea,
> qual meraviglia se di sùbito arsi?
> Non era l'andar suo cosa mortale,

ma d'angelica forma, et le parole
sonavan altro che pur voce humana:
uno spirto celeste, un vivo sole
fu quel ch'i' vidi; et se non fosse or tale,
piagha per allentar d'arco non sana.

I capelli biondi erano sparsi al vento, che li avvolgeva in mille nodi belli a vedersi; e il seducente splendore di quegli occhi, che ora si è offuscato, brillava in modo straordinario; e mi sembrava che il viso di lei si tingesse di atteggiamenti comprensivi, né so se questa mia impressione fosse vera o falsa: io che avevo nel petto l'esca che accende il fuoco della passione, c'è da meravigliarsi se subito m'infiammai d'amore? Il suo incedere non era quello delle persone mortali, ma quello degli spiriti angelici; e le sue parole avevano un suono diverso da quello che ha una voce soltanto umana: uno spirito celeste, un sole splendente fu quello che vidi; e se anche lei ora non fosse più come era allora, la ferita non guarisce solo perché l'arco s'allenta (dopo il lancio della freccia da cui la ferita stessa fu provocata).

Come abbiamo già visto nel caso di Dante, si tratta di un testo solo apparentemente semplice, da un punto di vista linguistico. Per penetrare al suo interno dobbiamo far corrispondere alle parole usate da Petrarca (scelte proprio per la loro indeterminatezza e vaghezza, per il loro essere fuori del tempo e dello spazio) altre parole, a noi più familiari. A cominciare dall'espressione «a l'aura», che corrisponde al nome dell'amata: Petrarca, in questo modo, non nomina Laura, ma la evoca, attraverso un gioco fonico, ricorrendo alla parola-simbolo *l'aura* («l'aria», «la brezza», «il vento»); altrove, Francesco giocherà poeticamente con altre parole basate sulla somiglianza con il nome di Laura, come per esempio il *lauro* («l'alloro») e *l'auro* («l'oro»). Petrarca non solo non nomina Laura, ma non la descrive nei particolari fisici: tutto quello che la riguarda è completamente smaterializzato. Il ritratto della donna amata, se lo osserviamo bene, è composto solo di pochi elementi, molto generici: capelli biondi, occhi luminosi, un incedere elegante, un modo di parlare pieno di fascino.

Semplificando al massimo, potremmo dire che la lingua poetica di Petrarca è la sintesi di due varietà: da una parte, la lingua dei poeti che lo avevano preceduto; dall'altra, il fiorentino del suo tempo. Entrambe queste componenti furono sottoposte a un minuzioso processo di setacciatura: Petrarca creò una sorta di lingua franca da adoperare esclusivamente in poesia, eliminando, dai modelli a sua disposizione, qualsiasi elemento in eccesso. Tali gli apparivano sia un uso esagerato di latinismi e altre forme dotte, sia il ricorso a forme del dialetto fiorentino: una lingua eccessivamente orientata in senso municipale avrebbe rappresentato una caduta verso la quotidianità che mal si conciliava con l'atmosfera rarefatta delle sue poesie. L'espressione *atmosfera rarefatta* rende efficacemente il carattere della poesia petrarchesca: in essa non hanno diritto di cittadinanza gli oggetti e i dati che rinviano al mondo di tutti i giorni; perciò nella lingua che la esprime non c'è posto per le parole che indicano quegli oggetti e quei dati. E molte altre vi arrivano trasformate. Si creano, insomma, due canali di comunicazione: uno per la prosa, uno per la poesia.

Ecco qualche esempio di scelte *fonetiche* diverse in prosa e in poesia:

Prosa	Poesia
anima	*alma*
cuore	*còre*
lode	*laude*
muove	*move*
opera	*opra*
spirito	*spirto*
uccello	*augello*

Ecco qualche esempio di scelte *grammaticali* diverse:

Prosa	Poesia
di qui	*quindi*
giù	*giuso*
con noi	*nosco*
avrei	*avrìa*
sarei	*sarìa*
sarà	*fia*
sarebbe	*fora*
amarono	*amaro*
temettero	*temero*
sentirono	*sentiro*

Ed ecco, infine, qualche esempio di scelte *lessicali* diverse:

Prosa	Poesia
sentimento	*affetto*
chiesa	*tempio*
desiderio	*desio*
guardare	*mirare*
preoccupazione	*cura*

affanno	*cura*
ricordo	*rimembranza*
speranza	*speme*

La lingua poetica petrarchesca resterà un modello imitato per più di cinque secoli. Fino alla fine dell'Ottocento, con poche eccezioni, le parole scelte dai poeti italiani per i loro versi continueranno a essere, come quelle dei versi di Petrarca, vaghe, astratte, lontane dalla realtà concreta e quotidiana.

Se Petrarca fu il campione e il modello della lingua della poesia, campione e modello della lingua della prosa divenne molto presto il suo contemporaneo e conterraneo, nonché amico, Giovanni Boccaccio (1313-1375), raffinato intellettuale bilingue che da una parte compose numerosi scritti eruditi in latino e dall'altra sperimentò tutte le possibilità espressive del volgare fiorentino, scrivendo in questa lingua opere diversissime per genere e contenuto: dalla lirica d'amore al romanzo, dal poema d'ispirazione epica alla biografia. La sua fama è comunque affidata a un capolavoro 'solitario': il famosissimo *Decameron*, una raccolta di cento novelle composta fra il 1349 e il 1351.

L'ambientazione dell'opera è ben nota. Un martedì di primavera del 1348, mentre a Firenze infuria la peste, sette ragazze e tre ragazzi si incontrano nella chiesa di Santa Maria Novella e decidono di allontanarsi dagli orrori causati dall'epidemia, rifugiandosi nella campagna circostante: trascorreranno qui le due settimane successive, conversando piacevolmente fra di loro. Per dieci giorni esatti (*Decameron* viene dal greco *dèka emeròn*, che per l'appunto significa «una decina di giorni») racconteranno quotidianamente una novella ciascuno su un tema stabilito dal 're' o dalla 'regina' della giornata. E i temi – dall'amore alla fortuna, dall'ingegno all'avidità, dalla generosità alla malizia, dall'altruismo al tradimento – verranno dall'osservazione attenta della vita umana in tutte le sue manifestazioni, passioni e debolezze, virtù e vizi, intelligenza e ottusità. Non a caso un critico famoso come Francesco De Sanctis a suo tempo definì il *Decameron* come una «commedia umana», che si oppone e al tempo stesso richiama per grandezza quella divina di Dante.

Come Alighieri, anche Boccaccio saggia tutte le possibilità espressive della sua lingua materna, adoperando di volta in volta o un fiorentino raffinato che evoca l'eleganza del latino o un fiorentino colloquiale (se non addirittura basso e rozzo) che evoca la quotidianità rumorosa e beffarda della piazza e del mercato.

Il massimo dell'eleganza di lingua e di stile Boccaccio lo riserva alla cosiddetta 'cornice', cioè al proemio e alle introduzioni alle singole giornate e alle rispettive novelle, in cui i dieci giovani conversano fra di loro, discutono degli argomenti da trattare e presentano le storie da raccontare. La cornice è anche la parte del *Decameron* in cui Boccaccio interviene in un immaginario dialogo con il suo pubblico, per esprimere opinioni e giudizi personali.

Questo coinvolgimento in prima persona spiega bene perché lo scrittore si esprima qui in modo particolarmente raffinato. La lingua colloquiale è invece riservata alle novelle in cui agiscono protagonisti che vengono dal popolo e che ovviamente, nei loro dialoghi comici e frizzanti, parlano in modo spontaneo e immediato. Fra il polo linguisticamente alto della cornice e quello linguisticamente colorito dei dialoghi spontanei si colloca il fiorentino medio che caratterizza le parti non dialogate, ma semplicemente raccontate, delle novelle, che non hanno battute né spezzoni di lingua parlata.

Un bell'esempio di fiorentino elegante e raffinato ci è offerto dall'introduzione alla prima giornata (al testo originale segue la versione in italiano contemporaneo):

> Dico adunque che già erano gli anni della fruttifera incarnazione del Figliuolo di Dio al numero pervenuti di milletrecentoquarantotto, quando nella egregia città di Fiorenza, oltre a ogn'altra italica bellissima, pervenne la mortifera pestilenza: la quale, per operazion de' corpi superiori o per le nostre inique opere da giusta ira di Dio a nostra correzione mandata sopra i mortali, alquanti anni davanti nelle parti orientali incominciata, quelle d'inumerabile quantità de' viventi avendo private, senza ristare d'un luogo in uno altro continuandosi, verso l'Occidente miserabilmente s'era ampliata.

> Dico dunque che gli anni della fruttuosa incarnazione di Gesù, figlio di Dio, erano ormai milletrecentoquarantotto, quando nella nobile città di Firenze, di gran lunga la più bella di tutte le città italiane, giunse la pestilenza portatrice di morte: e questa pestilenza o che...

Boccaccio avvia la sua narrazione in modo intenzionalmente complesso. Il periodo è lungo e difficile, e chi provi a leggerlo ad alta voce quasi non riesce a prendere fiato: il punto si ha addirittura dopo ottantasei parole, il cui ordine non si avvicina certo a quello naturale del fiorentino parlato, ma segue piuttosto quello artificiale del latino scritto.

Le parole all'interno della frase e le frasi all'interno del periodo, infatti, sono disposte ad arte: molti aggettivi, anziché seguire il nome a cui si riferiscono – come è normale nell'italiano di oggi e come era normale anche nel fiorentino parlato ai tempi di Boccaccio – lo precedono: *fruttifera incarnazione* (e non *incarnazione fruttifera*), *mortifera pestilenza*, *inique opere*, *giusta ira*, *innumerabile quantità* (e non *pestilenza mortifera*, *opere inique* e così via). In qualche caso l'alterazione dell'ordine naturale delle parole produce scivolamenti e inversioni ancora più vistose: possiamo notare, per esempio, che nella lunga sequenza che segue i due punti il soggetto *la quale* (che riprende la *mortifera pestilenza*) e il suo verbo *s'era ampliata* sono lontanissimi l'uno dall'altro, separati da vari elementi.

Ebbene, l'anteposizione dell'aggettivo al nome a cui si riferisce e la collocazione del verbo in fondo alla frase o al periodo (proprio dove si trova, nel nostro esempio, il verbo *s'era ampliata*) rappresentano due caratteristiche tipiche dello stile dei più eleganti prosatori latini.

Ma la conferma più evidente del tono linguisticamente solenne che Boccaccio vuole dare a questa introduzione la troviamo nel modo particolarissimo con cui fa riferimento all'anno d'inizio della pestilenza. Per indicare il 1348, infatti, l'autore ricorre a un complicato giro di parole: «erano gli anni della fruttifera incarnazione del Figliuolo di Dio al numero pervenuti di milletrecentoquarantotto» («gli anni della fruttuosa incarnazione del figlio di Dio erano giunti al numero di milletrecentoquarantotto»).

C'è da precisare che Boccaccio, seguendo l'antico calendario fiorentino, fa cominciare l'anno dal 25 marzo, giorno dell'Annunciazione (cioè quello in cui l'arcangelo Gabriele annuncia alla vergine Maria l'incarnazione del figlio di Dio); al di là di questo, la determinazione temporale non è affidata a un semplice «Nel 1348», ma a una perifrasi ben più articolata.

Molto meno difficile è invece la lingua con cui Corrado Gianfigliazzi discute animatamente con il suo cuoco Chichibìo, che tenta di prendersi gioco di lui. La storia raccontata nella quarta novella della sesta giornata del *Decameron* (quella famosa di Chichibìo e la gru) è molto nota, perciò la riprenderemo soltanto per sommi capi. Un giorno, durante una battuta di caccia, il fiorentino Corrado Gianfigliazzi uccide una gru bella grassa. Tornato a casa, la consegna al cuoco Chichibìo perché la cucini. Il servitore si mette subito all'opera: la gru, cuocendo, emana un odore delizioso che attira donna Brunetta, una «feminetta della contrada» di cui Chichibìo è innamorato. Alla richiesta di costei di poter assaggiare una coscia della gru, il povero cuoco, dopo qualche esitazione, acconsente: stacca una coscia e la dà alla ragazza. La sera, dinanzi alla gru finita a tavola con una coscia in meno, assistiamo a un divertente botta e risposta tra Chichibìo e Corrado:

> «Signor mio, le gru non hanno se non una coscia e una gamba». Currado allora turbato disse: «Come diavol non hanno che una coscia e una gamba? Non vid'io mai più gru che questa?»

La mattina dopo padrone e cuoco tornano alla palude per stabilire se le gru abbiano una o due zampe. Appena arrivati, vedono delle gru che dormono su una zampa sola. Chichibìo fa valere le sue ragioni:

«Assai bene potete, messer, vedere che iersera vi dissi il vero, che le gru non hanno se non una coscia e un piè, se voi riguardate a quelle che colà stanno.»

Ma Corrado si mette a gridare, le gru si svegliano, tirano fuori l'altra zampa e volano via. Chichibìo, con grande prontezza, dice al padrone che, se avesse gridato anche la sera prima, la seconda gamba sarebbe spuntata anche alla gru cotta a puntino. Il padrone rimane così divertito da quella risposta che perdona il suo servo bugiardo.

Come non notare la differenza fra queste battute frizzanti e la compostezza severa dell'introduzione riportata sopra? Lo scambio fra Chichibìo e il suo padrone non richiede spiegazioni particolari: riusciamo a capirlo bene, il che dimostra che l'italiano parlato oggi non è poi così lontano dal fiorentino parlato allora. Non potremmo certo dire lo stesso del fiorentino latineggiante e sofisticato della 'cornice'. Il fatto è che gli scrittori italiani delle generazioni successive avrebbero assunto a loro modello il fiorentino difficile della cornice, e non quello facile di questo e di molti altri dialoghi del *Decameron*. Il che contribuisce a spiegare perché l'italiano sia stato per tanto tempo una lingua d'élite, scritta (e non parlata) da e per pochi privilegiati.

A ogni modo anche il *Decameron*, come la *Divina Commedia* e il *Canzoniere*, ebbe un successo immediato fra i contemporanei: perciò Dante, Petrarca e Boccaccio divennero un modello per tutti i poeti e i prosatori delle generazioni successive alla loro.

7

Chi ha inventato la grammatica?

La parola italiana *grammatica* ha una storia che merita di essere raccontata. Proviene dal termine latino *grammatica*, a cui si accompagnava la parola *ars*, che poteva essere espressa o sottintesa: la formula latina (*ars grammatica*) era a sua volta un prestito e un adattamento di quella greca *téchne grammatiké*, che indicava l'«arte delle lettere», consistente nello studio, nell'insegnamento e nella pratica di lettura e scrittura delle lettere dell'alfabeto, dette, in greco, *gràmmata*.

Nell'italiano attuale il termine *grammatica* ha diversi significati, e qui descriveremo soltanto i quattro più importanti:

- Primo significato: la grammatica è un insieme di meccanismi che regolano il modo di essere e di funzionare di una lingua.
- Secondo significato: la grammatica è lo studio di questi meccanismi.
- Terzo significato: la grammatica è la disciplina che ha per

oggetto questo studio («La prova scritta di grammatica italiana è prevista per il 10 giugno»).
- Quarto significato: la grammatica è il libro che descrive i meccanismi di funzionamento, le regole di una lingua («Ragazzi, prendete il libro di grammatica!»).

Sicché, a differenza di *storia*, *geografia* o *matematica*, la parola *grammatica* può indicare, a seconda dei contesti, una nozione (a cui rinviano i primi tre significati) o un oggetto concreto (a cui rinvia il quarto). Come ha fatto notare un linguista molto famoso, Luca Serianni, possiamo ben dire: «Prendi la grammatica!», mentre non potremmo dire: «Prendi la storia o la geografia!».

Nel primo significato, la grammatica ha la stessa età della lingua che regola; nel secondo e nel terzo, invece, è più giovane della lingua che studia; nel quarto significato (quello di «libro di grammatica»), spesso è molto più giovane della lingua di cui descrive o prescrive le regole.

Chi ha inventato la grammatica? Quale lingua del mondo fu la prima, nel tempo, a essere oggetto di riflessione, descrizione e studio?

La risposta a quest'ultima domanda è netta: il sumerico, parlato dal IV millennio a.C. e scritto dal millennio successivo nella regione della Mesopotamia, corrispondente, *grosso modo*, all'attuale Iraq. Gli archeologi hanno ritrovato, prima in un'area di confine poi in una interna alla Mesopotamia, delle tavolette di argilla – le più antiche risalgono al 2500 a.C., le meno antiche al 1800 a.C. circa – che contengono liste di forme di verbi e pronomi destinate agli apprendisti scribi affinché imparassero a usarle correttamente.

Ma torniamo a noi: chi ha inventato la grammatica italiana? La risposta è altrettanto netta: Leon Battista Alberti (1404-1472), un genio che seppe cimentarsi in ogni aspetto del sapere umano, dall'architettura alla pittura, dalla poesia alla matematica e alla geometria, dalla pedagogia al diritto. Non c'è settore in cui Leon Battista non abbia dato una straordinaria prova di sé, e fra gli altri meriti ha avuto anche quello di scrivere una grammatica che fu non solo la prima dedicata all'italiano, ma anche la prima dedicata a una lingua neolatina. In precedenza erano state scritte una grammatica dell'irlandese (VII secolo), una dell'islandese (XII secolo) e una del gallese (XIV secolo), tre lingue adoperate a nord dei territori dell'ex impero romano. Nel XIII e nel XIV secolo erano stati scritti anche due manuali che illustravano aspetti del provenzale letterario, la lingua dei trovatori, a lettori non provenzali; infine, all'inizio del XV secolo (nel 1409), un inglese pubblicò una grammatica del francese usato in Inghilterra. Come si può notare, si tratta di pochi lavori in cui o si descrive una lingua lontana dal cuore dell'Europa latina (irlandese, islandese, gallese) o si descrive una lingua che appartiene all'Europa latina (il francese) dal punto di vista di una sua periferia (l'Inghilterra).

Questa scarsa frequentazione della grammatica delle lingue europee moderne ebbe, per tutto il Medioevo, due presupposti, uno pratico e uno ideologico.

Dappertutto, l'insegnamento delle lingue volgari si fermava ai fondamentali; i maestri di latino facevano riferimento alle parlate correnti solo se, servendosene, potevano rendere più agevole lo studio del latino, così che gli scolari potessero «entrarci dentro», come aveva scritto Dante nel *Convivio*.

Nel campo pratico dell'insegnamento scolastico, la superiorità della lingua di Roma antica rispetto a quelle dell'Europa moderna aveva il suo corrispettivo ideologico nella convinzione che il latino, a differenza dei volgari, fosse un sistema linguistico perfetto, unitario e immutabile, forse derivato dalla lingua di Dio, dotato di regolarità grammaticale al punto di identificarsi con la grammatica stessa e di essere chiamato proprio *grammatica* (o *gramatica*).

Da una parte c'era questo strumento comunicativo perfetto; dall'altra c'erano i volgari d'Europa, parlate rozze, irregolari e irrazionali. Scrive Lorenzo Valla (1407-1457), uno dei prìncipi dell'Umanesimo europeo:

> Sentendo un romano parlare in romano, un fiorentino in fiorentino, un napoletano in napoletano, un veneto in veneto, non mi sono mai accorto che uno parlasse meglio di un altro. Chi pretende dalla lingua francese, spagnola, tedesca, fiorentina, napoletana, veneta e così pure da tutte le altre la razionalità grammaticale senza accontentarsi dell'uso?

Alberti faceva parte di una minoranza di intellettuali che non condividevano idee del genere; per dimostrare che anche la sua lingua materna, il fiorentino parlato e scritto nel Quattrocento, aveva una sua *grammatica* (intesa nel primo significato), scrisse una *grammatica* (intesa nel quarto significato). Naturalmente, ci fu un'occasione che lo spinse a fare questo.

Nel marzo del 1435, a Firenze, alcuni umanisti avviarono una discussione sulle origini del latino che finì col riguardare anche la storia dell'italiano. Schematizzando e semplificando, la discussione consistette in questo: nella Roma antica i letterati e gli analfabeti parlavano la stessa lingua, il latino, sia pure differenziata nei livelli? Oppure già anticamente le persone colte adoperavano il latino, lingua regolata e dotata di una grammatica, e gli ignoranti adoperavano il volgare, lingua senza regole e senza grammatica?

Nella seconda metà del 1435 Leon Battista entrò nel dibattito dedicandogli parte di una sua opera intitolata *I libri della famiglia*, in cui sostenne, ribadendo la persuasione di uno dei contendenti, e cioè che in Roma antica si era parlato solo il latino, che il volgare era nato molto più tardi, nel Medioevo (per la precisione, durante le invasioni barbariche, a causa della dissoluzione politica, culturale e linguistica dell'impero romano), e che il volgare del Quattrocento aveva tutti i requisiti per poter essere adoperato, come il latino, nell'arte, nella scienza e nell'alta letteratura: l'ordine e la regolarità della grammatica, infatti, non erano esclusivi del latino, ma erano presenti anche nel volgare. Poco tempo dopo, per dimostrare quest'ultimo assunto, Leon Battista scrisse la sua grammatica.

Sul momento non cambiò niente. Solo parecchio più tardi altri intellettuali europei fecero lo stesso con le loro lingue. Nel 1494 Antonio de Nebrija pubblicò una grammatica del castigliano, e nel 1555 Fernão de Oliveira ne pubblicò una del portoghese, ma per le altre lingue europee ci sarebbe stato ancora da aspettare.

Ad Alberti, dunque, spettano i meriti di un precursore. La sua grammatica si presenta come l'opera di un genio fin dalla prima pagina. Essa si apre, come qualunque grammatica, con la presentazione dell'alfabeto. Le lettere che lo compongono, però, non sono presentate in ordine alfabetico (*a, b, c*...), ma in base alla forma che hanno: lettere con una stanghetta (*i, r, t*); lettere con due o tre stanghette (*n, u, m*); lettere con una linea curva (*c, e, o*) eccetera.

L'ordinamento delle lettere dell'alfabeto in base alla forma, segno di una grande attenzione per l'aspetto materiale della scrittura, non avrebbe potuto aversi se non in un maestro del disegno come Leon Battista Alberti. Il quale, fra l'altro, inventò anche alcuni segni alfabetici nuovi per distinguere, per esempio, la *e* aperta di *pèsca* (il frutto) dalla *e* chiusa di *pésca* (l'atto del pescare), e la *o* aperta di *vòlto* (prima persona del presente di *voltare*) dalla *o* chiusa di *vólto* (il viso). Inoltre, per distinguere la *c* velare o 'dura' di *casa* dalla *c* palatale o 'molle' di *cera*, Alberti inventò un segno molto simile a quel *k* che oggi imperversa nell'alfabeto ultrarapido degli sms: *ke fai? ki sei?*

Questa attenzione alla pronuncia dimostra che l'autore intese scrivere una grammatica che descrivesse non solo la lingua scritta, ma anche (e forse anche più) quella parlata: un insieme di indicazioni, come scrive lui stesso all'inizio, «apte a scrivere e favellare senza corruptela» («utili a scrivere e a parlare senza guasti»).

L'opera di Leon Battista, che ci è giunta senza titolo, è nota come 'Grammatichetta vaticana': *Grammatichetta* perché è un testo molto breve (un libretto di sedici pagine scritte su entrambe le facciate), *vaticana* perché si legge in un manoscritto conservato nella Biblioteca Apostolica Vaticana. L'originale dell'opera è andato perduto; quella che abbiamo a disposizione è una copia che nel 1508 si fece fare, commissionandola a un copista, il più importante grammatico della storia dell'italiano: Pietro Bembo. Per quasi quattro secoli non se n'è saputo nulla; il testo è stato ritrovato tra gli scaffali della Biblioteca Vaticana soltanto alla fine dell'Ottocento, e solo nel 1962 si è potuto stabilire con certezza che lo scrisse Leon Battista Alberti. Secondo alcuni, Bembo ne ignorava l'autore. Ma anche ammesso che lo ignorasse davvero, certamente non ne ignorava il contenuto. Dato che l'opera non aveva titolo, gliene aggiunse uno di suo pugno: *Della Thoscana senza auttore*. Ora, anche un bambino, leggendo il manoscritto, capisce che quella che ha sotto gli occhi è una grammatica della lingua toscana. Bembo, attribuendo al testo un titolo che poteva andar bene per un'operetta dedicata alla geografia o alla storia della Toscana, lo fece per nasconderne il vero contenuto. Perché? Lo vedremo fra poche pagine.

8

Ladri di libri

CONCLUSA la grammatica, Leon Battista Alberti realizzò una seconda impresa a favore del volgare. Nell'ottobre del 1441 organizzò una gara di poesia in volgare sul tema dell'amicizia. La gara fu detta 'Certame coronario'. *Certame* è una parola presa in prestito dal latino e significa, per l'appunto, «gara»; a questo termine fu aggiunto l'aggettivo *coronario*, perché era previsto che al poeta vincitore sarebbe stata assegnata una corona d'argento. Invece non fu così: i giudici, tutti umanisti che apprezzavano soltanto il latino, non assegnarono il premio a nessuno dei poeti che avevano scritto versi in volgare, suscitando una risentita protesta da parte di Alberti. Il concorso di poesia in italiano si era trasformato in una gara fra questa lingua e il latino, e quest'ultimo aveva stravinto.

Nel giro di qualche decennio, però, a quella di Alberti si aggiunsero altre autorevoli voci a favore della nuova lingua. Lorenzo de' Medici (1449-1492), signore di Firenze dal 1469, letterato e mecenate, animatore di una corte all'interno della quale operarono i maggiori artisti del tempo (da Antonio Pollaiolo a Filippo Lippi, da Sandro Botticelli ad Andrea del Verrocchio, da Giuliano da Sangallo a Leonardo da Vinci), promosse una grande campagna volta a diffondere l'uso del volgare toscano nella letteratura e nelle arti. In questa impresa ebbe come illustri collaboratori due umanisti di prim'ordine: Cristoforo Landino, un professore universitario molto famoso, e Agnolo Ambrogini, più noto con il nome di Poliziano, destinato a diventare il più grande esperto di filologia latina e greca del Quattrocento. Landino dedicò i suoi corsi universitari non solo ai classici latini e greci, ma anche ai nuovi classici volgari, cioè a Dante e a Petrarca.

Nelle *Prolusioni* (lezioni di presentazione) ai corsi dedicati a Dante (1467) e a Petrarca (1474), affermò che l'inferiorità dell'italiano rispetto al latino non dipendeva dalla natura della nuova lingua, ma dal fatto che questa era stata usata poco. I dotti di Firenze e della Toscana, se amavano davvero la loro patria, avrebbero dovuto seguire l'esempio dei loro compatrioti Dante e Petrarca e adoperare sempre il volgare toscano nei loro scritti.

Le resistenze nei confronti dell'uso letterario del volgare vennero definitivamente meno nella prima metà del Cinquecento, grazie all'impegno in suo favore di molti letterati non soltanto toscani, e in particolare proprio di Pietro Bembo, già nominato nel capitolo precedente. Questo illustre nobile veneziano fu prima di tutto un grande esperto di lingue classiche. Aveva studiato il greco a Messina, alla scuola di Costantino Lascaris, il più famoso grecista del tempo; e conosceva così bene il latino che nel 1512 papa Leone X lo chiamò a Roma come Segretario, con l'incarico di scrivere, naturalmente in latino, le sue lettere e tutti i documenti ufficiali su cui avrebbe dovuto apporre la firma.

A ogni modo, Bembo dedicò la maggior parte delle sue energie al volgare. Nel 1501 e nel 1502 curò, per conto del più grande editore dell'epoca – Aldo Manuzio, che da Bassiano (oggi in provincia di Latina) si era trasferito a Venezia –, due raffinate edizioni del *Canzoniere* di Petrarca e della *Divina Commedia* di Dante, le quali ottennero un grande successo di pubblico. Nello stesso periodo scrisse in volgare *Gli Asolani*, un dialogo filosofico in cui si discuteva della natura dell'amore sulla base delle teorie del filosofo greco Platone.

Nella sua attività di filologo e di scrittore in volgare, Bembo dovette risolvere centinaia di dubbi grammaticali relativi a forme, parole e costruzioni dell'italiano.

Fin dai primi del Cinquecento aveva preparato delle schede su questi argomenti, perché si riprometteva di scrivere una grammatica dedicata alla lingua volgare. L'opera gli sembrava necessaria, perché gli intellettuali di tutta Italia erano ancora incerti sul modello di lingua a cui rifarsi e sulle regole da seguire; in più, la donna da lui amata, Maria Savorgnan, gli aveva chiesto di scrivere per lei un libretto di regole grammaticali sul volgare, e all'amata è difficile dire di no, come dimostra questa lettera che Bembo le scrisse il 2 settembre 1500:

> Ho dato principio ad alcune notazioni della lingua, come io vi dissi di voler fare quando mi diceste che io nelle vostre lettere il facessi [...]. Ma quello che avete a fare vi dirò bene io. Amatemi: e siavi [vi sia] la vostra anima e il vostro cuore alquanto caro.

Le noterelle di questo grammatico innamorato confluirono poi in quella che, per il consenso che ha avuto dal momento della sua pubblicazione a oggi (molte regole che vi sono descritte le studiamo e le seguiamo ancora!), può essere considerata la più importante grammatica italiana della storia: le *Prose nelle quali si ragiona* (cioè «si discute») *della volgar lingua*.

Bembo, abbiamo detto, cominciò a raccogliere materiali per quest'opera almeno dal 1500. Dai documenti disponibili risulta che nel 1512 aveva già scritto e inviato ad alcuni conoscenti, perché leggessero e giudicassero, i primi due dei tre libri che la compongono. Per quel che ci è dato sapere, concluse il lavoro alla fine del 1524, e lo pubblicò nel 1525. Che fine abbia fatto il libro più importante della storia della grammatica italiana fra il 1512 e il 1524, non si sa. Però Bembo fece di tutto perché i lettori si convincessero che l'opera era stata completata prima del settembre del 1516, data di pubblicazione delle *Regole grammaticali della volgar lingua* di Giovan Francesco Fortunio.

Essere considerato l'autore della prima grammatica italiana era un primato a cui tenevano entrambi. Fortunio lo rivendicò nelle pagine d'apertura della sua opera, dichiarando di essere sceso «nel campo primo volgare grammatico». Da parte sua Bembo, quando consegnò il proprio libro al tipografo, per dimostrare che le cose non stavano così, e benché fossero passati nove anni, praticò una doppia retrodatazione: dedicò l'opera a Clemente VII, divenuto papa nel 1523, indicandolo non come «papa» ma come «cardinale», quale fu dal marzo 1513; e presentò il suo libro come il resoconto di un dialogo avvenuto ancora prima, alla fine del 1502. Nel 1529 qualcuno lo accusò di avere «furato il Fortunio», cioè di averlo plagiato. Bembo ribattè che era vero il contrario: era stato Fortunio che aveva copiato da quel suo libretto di appunti grammaticali che circolava fin dal primo Cinquecento. Diceva la verità? Non lo sapremo mai, ma siamo portati a diffidare: l'artefice della doppia retrodatazione è la stessa persona che, pur di assicurarsi il titolo di primo grammatico del volgare, aveva tenuto nascosta la 'Grammatichetta vaticana' di Alberti, molto più antica sia della sua sia di quella del rivale.

Torniamo al contenuto delle *Prose*. Bembo vi sostenne che con i grandi scrittori fiorentini del Trecento il volgare aveva raggiunto un livello di armonia, perfezione e bellezza paragonabile a quello ottenuto da scrittori latini dell'importanza di Virgilio (poeta) e di Cicerone (prosatore). Il volgare aveva il suo Virgilio in Petrarca e il suo Cicerone in Boccaccio: agli scrittori italiani spettava il compito di imitare la lingua del primo se intendevano scrivere versi, e la lingua del secondo se intendevano scrivere prose.

Quasi tutti i poeti e i prosatori che vennero dopo seguirono alla lettera queste indicazioni. Così è nato l'italiano, fra Trecento e Cinquecento. L'Italia, prima di diventare una «Repubblica democratica, fondata sul lavoro», fu una Repubblica aristocratica, fondata sull'italiano.

9

La lingua fantastica di Ludovico Ariosto e quella su misura di Niccolò Machiavelli

MOLTISSIMI scrittori, nel corso del Cinquecento, seguirono la strada indicata da Bembo, ma dei due più grandi e attivi nella prima metà del secolo, e cioè Ludovico Ariosto (1474-1533) e Niccolò Machiavelli (1469-1527), il primo la percorse con indipendenza, il secondo non la percorse affatto.

Ariosto rivide la forma linguistica del suo *Orlando furioso* in direzione del fiorentino di tutte e tre le Corone anche prima che Bembo pubblicasse le *Prose nelle quali si ragiona della volgar lingua*. Del suo capolavoro Ludovico allestì, nel corso della vita, ben tre edizioni: nel 1516, nel 1521 e nel 1532. La sua lingua materna non era il fiorentino, ma il dialetto emiliano: la madre era di Reggio Emilia, il padre di Ferrara, e a Ferrara Ludovico trascorse una parte consistente della sua vita, quella libera dagli impegni dettati dalle numerose e lunghe trasferte al servizio dei signori Estensi.

La prima edizione dell'*Orlando furioso* ancora risente, sia pure lievemente, del cosiddetto 'padano illustre', cioè della lingua adoperata nelle corti padane (in particolare in quella ferrarese degli Estensi) a scopi letterari: in questa lingua, sul fondo del fiorentino di Dante, Petrarca e Boccaccio, s'innestano alcuni suoni, forme e parole tipiche dei dialetti adoperati nella zona della pianura padana.

Dalla prima alla terza edizione, Ariosto elimina progressivamente questi tratti e si avvicina ancora di più al fiorentino di Petrarca e di Boccaccio, soprattutto nell'edizione del 1532. La grande consonanza con le posizioni di Bembo si traduce in un omaggio dichiarato alla sua persona, quando nel canto 46 dell'ultima edizione dell'*Orlando* Ariosto scrive:

> [...] là veggo Pietro
> Bembo, che 'l puro e dolce idioma nostro,
> levato fuor del volgare uso tetro,
> qual esser dee, ci ha col suo esempio mostro.

> [...] là vedo Pietro Bembo, che col suo esempio ci ha mostrato quale deve essere la nostra dolce e pura lingua liberata dall'oscuro uso volgare.

Ma vediamo in concreto in che cosa è consistita questa 'ripulitura' dei tratti ancora 'padani' esaminando i versi iniziali del poema. Cominciamo col riportare il testo dell'edizione del 1516:

> Di donne e cavallier li antiqui amori,
> le cortesie, l'audaci imprese io canto,
> che furo al tempo che passaro i Mori
> d'Africa il mare, e in Francia nocquer tanto,
> tratti da l'ire e giovenil furori
> d'Agramante lor re, che si diè vanto

di vendicar la morte di Troiano
sopra re Carlo imperator romano.

Dirò di Orlando in un medesmo tratto
cosa non detta in prosa mai né in rima:
che per amor venne in furore e matto,
d'uom che sì saggio era stimato prima;
se da colei che tal quasi m'ha fatto,
ch' *el* poco ingegno ad or ad or mi lima,
me ne *serà* però tanto concesso,
che mi basti a compir quanto ho promesso.

Ora quello dell'edizione del 1532:

Le donne, i cavallier, l'arme, gli amori,
le cortesie, l'audaci imprese io canto,
che furo al tempo che passaro i Mori
d'Africa il mare, e in Francia nocquer tanto,
seguendo l'ire e i giovenil furori
d'Agramante lor re, che si diè vanto
di vendicar la morte di Troiano
sopra re Carlo imperator romano.

Dirò d'Orlando in un medesmo tratto
cosa non detta in prosa mai né in rima:
che per amor venne in furore e matto,
d'uom che sì saggio era stimato prima;
se da colei che tal quasi m'ha fatto,
che *'l* poco ingegno ad or ad or mi lima,
me ne *sarà* però tanto concesso,
che mi basti a finir quanto ho promesso.

E, infine, la versione in prosa italiana contemporanea:

Io canto le donne, i cavalieri, le guerre, gli amori, le imprese nobili e quelle audaci che ci furono in quel tempo in cui i Mori varcarono il mare d'Africa e fecero molti danni in Francia, assecondando l'ira e il furore giovanile del loro re Agramante, che considerò motivo d'onore vendicare la morte del padre Troiano contro re Carlomagno, imperatore del Sacro Romano Impero.

Contemporaneamente, a proposito di Orlando, racconterò cose mai dette, né in prosa né in poesia: racconterò che per amore, da uomo saggio e stimato che era in precedenza, diventò completamente pazzo: a patto che colei che mi ha reso pazzo d'amore quasi come Orlando e che mi consuma il poco ingegno che mi ritrovo, me ne conceda quel tanto che mi basti per portare a termine quel che ho promesso.

I due cambiamenti che ci interessano riguardano le parole in corsivo: l'articolo *el*, che nell'edizione definitiva diventa *'l*, e la forma *serà* (terza persona singolare del futuro del verbo *essere*), che nell'edizione definitiva diventa *sarà*. In entrambi i casi Ariosto sostituisce due forme tipiche dei dialetti padani con due forme del fiorentino trecentesco. Queste due piccole trasformazioni s'incontrano nei primi sedici versi dell'*Orlando furioso*. Calcolando che il poema conta, nel suo insieme, quasi trentanovemila versi, i contorni e la portata di questo processo di revisione linguistica ci appariranno più chiari.

Possiamo concludere, dunque, che Ariosto risciacquò i suoi panni nell'Arno molto prima che lo facesse Manzoni. Chi, in quegli stessi anni, non ebbe invece nessun bisogno di risciacquare i panni in Arno, perché questo fiume lo vedeva scorrere da casa, fu Niccolò Machiavelli, che compose i suoi scritti non nel fiorentino letterario adoperato da Dante, Petrarca e Boccaccio nel Trecento, bensì in quello usato dalla gente comune nel Quattrocento e nel primo Cinquecento. Il celebre autore del *Principe* intervenne in prima persona nel dibattito su quale lingua gli italiani dovessero usare scrivendo un *Discorso o dialogo intorno alla nostra lingua*, nel quale si dichiarò persuaso del fatto che il migliore dei volgari possibili era quello adoperato nella Firenze del suo tempo. Con questo volgare a lui familiare produsse i suoi scritti, offrendo a tutti un modello di lingua che colpisce per immediatezza, spontaneità e originalità. Vediamo le poche righe che compongono il primo dei ventisei capitoli del *Principe*:

> Tutti gli stati, tutti *e* dominii che hanno avuto et hanno imperio sopra gli uomini, sono stati e sono o republiche o principati. E principati sono o ereditarii, de' quali *el* sangue del loro signore ne sia suto lungo tempo principe, o sono nuovi. E nuovi, o e' sono nuovi tutti, come fu Milano a Francesco Sforza, o sono come membri aggiunti allo stato ereditario del principe che gli acquista, come è *el* regno di Napoli a re di Spagna. Sono questi dominii così acquistati o consueti a vivere sotto uno principe o usi ad essere liberi; et acquistonsi o con l'arme d'altri o con le proprie, o per fortuna o per virtù.

Gli aspetti che ci allontanano dal fiorentino di Dante, Petrarca e Boccaccio e che ci avvicinano alla lingua parlata a Firenze ai primi del Cinquecento sono molti. Ne segnaleremo due: l'uso delle forme *el/e* per l'articolo determinativo maschile, e l'uso della desinenza *-ono* alla terza persona plurale del presente indicativo dei verbi di prima coniugazione (come *amono* al posto di *amano*).

Machiavelli scrive «e domini», «e principati», «el sangue», «e nuovi», «el regno» anziché *i domini*, *i principati*, *il sangue*, *i nuovi*, *il regno*, come si era detto e scritto nel fiorentino del Trecento e come si sarebbe continuato a dire e scrivere in italiano; più avanti scrive «acquistonsi» («si acquistono»), con la desinenza in *-ono* anziché in *-ano*: nel fiorentino letterario del Trecento si diceva (come nell'italiano di oggi) *acquistano*, non *acquistono*. Intendiamoci, però. La straordinarietà della lingua di Machiavelli non è in questo suo rifarsi all'uso fiorentino contemporaneo, ma altrove: è nello stile rapido e incisivo.

Il capitolo che stiamo esaminando è il più breve del trattato. Come possiamo vedere, è tutto impostato su alternative secche e taglienti e ci offre un saggio del tono generale del testo: netto, deciso, dalle conclusioni fulminee. Il modo tipico di argomentare di Machiavelli si fonda su un caratteristico procedimento dilemmatico. Di ogni problema, di ogni questione, Machiavelli indica sempre articolazioni alternative o soluzioni estreme e opposte, escludendo ogni via di mezzo e ogni soluzione di compromesso. Questo suo modo di ragionare si manifesta, sul piano della sintassi, con la produzione di frasi che non sono collegate fra loro da una congiunzione che collega, come per esempio *e*, ma sono seccamente differenziate da una congiunzione che oppone, che è sempre e soltanto *o*: «Tutti gli stati, tutti e domini [...] sono stati e sono *o* repubbliche *o* principati». Il primo termine dell'alternativa, le *repubbliche*, è completamente eliminato nel periodo successivo. È come se Machiavelli dicesse: via le repubbliche, non intendiamo occuparcene;

in un trattato dedicato al *Principe* discuteremo dei soli principati. E prosegue distinguendo i principati in una specie di struttura ad albero, articolata in ramificazioni successive: «I principati sono» – ecco la nuova alternativa – «*o* ereditari *o* nuovi»; eliminati i principati ereditari, che non rientrano nell'obiettivo espositivo di Machiavelli, rimangono i nuovi, che possono essere *o* «nuovi tutti» *o* «membri aggiunti» allo Stato ereditario del principe che li acquista, e così via. Come si vede, il ragionamento si articola per distinzioni nette e a ognuna corrisponde un'opposizione secca e precisa, garantita, sul piano linguistico, dall'uso costante dell'indicativo, il modo dell'obiettività e della certezza: «hanno avuto et hanno», «sono stati e sono», «acquistonsi» eccetera.

Nel Medioevo i trattati politici furono scritti in latino, e questa pratica si diffuse ancora di più nell'età dell'Umanesimo. Nella seconda metà del XIV secolo, in particolare, tornò di moda un genere letterario già praticato, lo *speculum principis* («lo specchio del principe»), che trattava la formazione del principe perfetto. In questo tipo di opere si voleva sempre delineare la figura di un principe ideale, si compilavano interminabili cataloghi delle virtù che questi avrebbe dovuto avere e si insisteva sull'obiettivo della buona fama e della gloria a cui avrebbe dovuto tendere. Questi scritti sono di natura fortemente astratta.

In un passo molto famoso del *Principe*, Machiavelli prende nettamente le distanze da questo tipo di opere e traccia una profonda linea di demarcazione tra il suo modo di concepire la politica e il modo che avevano avuto i suoi predecessori idealisti, i quali, nel tentativo di adattare la teoria politica a schemi teologici o metafisici, avevano immaginato «repubbliche e principati che non si sono mai visti». Lui invece, intenzionato a «scrivere cosa utile a chi la intende», aveva scelto di badare alla «verità effettuale», alla realtà dell'azione politica concreta. Ebbene, la scelta del volgare per trattare di politica va ricondotta alla stessa motivazione.

Nella dedica del *Principe* a Lorenzo de' Medici (non il famoso Lorenzo il Magnifico, ma un suo nipote) Machiavelli afferma di non aver voluto usare, per il suo trattato, una lingua ampollosa e retorica, ricca di formule e parole ricercate, adoperate al solo scopo di rendere più elegante il discorso: ho evitato tutto questo, spiega Machiavelli, perché desidero che quest'opera piaccia per la serietà dell'argomento trattato e per l'originalità del modo di trattarlo. Ebbene, leggendo il *Principe* non c'è che dire: Machiavelli seppe mantenere la promessa fatta nella dedica in apertura.

Tuttavia, a parte qualche eccezione, gli scrittori italiani delle generazioni successive non imitarono il suo modello di prosa viva e immediata, ma quello più elegante e controllato rappresentato dalla prosa di Giovanni Boccaccio, sostenuto, oltre che da Pietro Bembo e dai suoi seguaci, anche da un'istituzione che dal momento della fondazione (1582-1583), e soprattutto dal momento della pubblicazione del suo *Vocabolario* (1612), divenne un'autorità indiscussa in materia di lingua italiana: l'Accademia della Crusca.

A proposito, chi ha inventato il vocabolario?

10

Chi ha inventato il vocabolario?

Le parole sono pietre, recita il titolo di un romanzo di Carlo Levi. Parecchie di quelle che convennero, secolo dopo secolo, nel forziere del nostro vocabolario sono pietre preziose. Chi le raccolse tutte insieme per primo?

Ci piacerebbe poter rispondere che fu Leonardo da Vinci. Per molto tempo si è scritto che le circa ottomila parole elencate da Leonardo sui margini dei manoscritti nei quali tracciava disegni, progetti, studi, costituiscono il primo vocabolario della lingua italiana. Sarebbe bello poter aggiungere anche questo tassello alla fama del genio: poterlo considerare non solo grande pittore, scultore, inventore, ingegnere militare, scenografo, musicista, studioso di anatomia, di scienza, di enigmistica e perfino di cucina, ma anche primo lessicografo, cioè autore di un primo vocabolario della lingua italiana. Ci piacerebbe, ma sarebbe un falso, o almeno un grave fraintendimento.

Il tentativo di attribuire una prestigiosa paternità a un presunto primo vocabolario della lingua italiana fu attuato durante il fascismo, in un clima di fervore nazionalistico.

Si tentò di consacrare l'immagine di Leonardo come genio universale in tutti i campi, e di aggiungere alla sua fama anche quella di autore del primo vocabolario della nostra lingua. Leonardo, in realtà, si era limitato a elencare, per suo uso personale, parole latine e volgari che per vari motivi lo incuriosivano, o che gli sarebbero tornate utili nei suoi scritti futuri. Ma allora, se questo non può essere considerato il primo vocabolario della storia, a quale opera e a quale autore dobbiamo risalire?

Parallelamente a quanto abbiamo fatto per raccontare chi ha inventato la grammatica, anche per quanto riguarda il vocabolario dobbiamo tornare, per parlare della sua invenzione, agli elenchi di parole incisi nelle cinquemila tavolette di argilla ritrovate nel 1975 dagli archeologi italiani durante gli scavi nella città di Ebla, in Siria. Tra quelle tavolette ricoperte di caratteri cuneiformi (le più antiche sono databili al periodo tra il 2350 a.C. e la distruzione della città, nel 2250 a.C.), è stato individuato quello che viene considerato il più antico vocabolario del mondo. Si tratta di liste lessicali in lingua eblaita e sumerica, antiche lingue semitiche parlate nella Mesopotamia meridionale. I più antichi vocabolari finora conosciuti consistono, dunque, in elenchi di parole comuni, tradotte in lingue diverse per esigenze commerciali.

Successivamente, nel primo millennio a.C., ebbe inizio la tradizione dei dizionari monolingui, legata in origine alla necessità di commentare e spiegare i testi sacri. In Egitto, in India, in Grecia e poi a Roma, in margine ai testi venivano annotate le spiegazioni di forme difficili o rare. Non è questo il luogo per ripercorrere la storia degli elenchi di termini messi insieme nel mondo greco-latino e poi nel

Medioevo, epoca nella quale si intensificarono le raccolte manoscritte compilate con intenti pratici.

Abbiamo già citato gli elenchi di parole ritrovati nei codici leonardeschi. Molte di quelle parole Leonardo le aveva prese dal *Vocabulista* dell'amico fiorentino Luigi Pulci, l'autore del *Morgante*, che aveva fatto parte, come il giovane Leonardo, della corte medicea. Pulci aveva realizzato per sé e per gli amici – non sappiamo in quale data, ma sappiamo che morì nel 1484 – un glossarietto volgare composto di termini appartenenti ai settori più vari: latinismi, voci di botanica, zoologia, anatomia e perfino termini gergali (per esempio *mecco*, cioè «puttaniere»).

Dovendo indicare un vero e proprio antenato del dizionario moderno va citato il *Dictionarium latinum* del bergamasco Ambrogio Calepio, stampato a Reggio Emilia nel 1502. All'epoca ebbe un successo grandissimo: diventò una sorta di best seller e servì da modello a numerose altre opere dello stesso tipo, che furono dette 'calepini', dal cognome dell'autore; e *calepino* è diventato in seguito un nome comune, registrato in tutti i vocabolari con il significato di «grosso vocabolario», «librone», o anche, scherzosamente, «compilazione erudita». Dato il grande successo, il dizionario di Ambrogio Calepio fu ristampato più volte nel corso del Cinquecento, con rimaneggiamenti e aggiunte: la seconda edizione metteva a confronto quattro lingue: l'ebraico, il greco, il latino e il volgare, e successivamente vennero aggiunti gli equivalenti francesi, spagnoli, tedeschi e inglesi. Questa, tra quelle antiche, è l'opera più simile a un vocabolario moderno.

Di vocabolari della lingua volgare ne furono pubblicati molti nel corso del Cinquecento, tutti o quasi tutti compilati sulla falsariga della soluzione bembesca e del culto delle Tre Corone, elevate a modello d'imitazione (anche se poi, nella pratica, trovavano spazio in queste raccolte voci senza testimonianze d'autore, voci regionali, termini dell'uso, con sconfinamenti, nelle definizioni, in una sorta di 'seconda lingua', ben diversa dal fiorentino).

E siamo arrivati, finalmente, al primo grande vocabolario italiano. In genere, il nome dell'Accademia della Crusca evoca un mondo lontano, polveroso, pedante, fatto di eruditi dediti alla raccolta maniacale di parole del passato. E se invece fosse una storia avventurosa e appassionante? Cercheremo di raccontarne le vicende a puntate, come fosse il soggetto di una fiction (del resto, un grande successo cinematografico del 2019, *Il Professore e il Pazzo*, diretto da Farhad Safinia, interpretato da Mel Gibson e Sean Penn e tratto dal libro di Simon Winchester, racconta la storia straordinaria, con risvolti gialli e noir, della redazione dell'*Oxford English Dictionary*).

Per cominciare, va ricordato che quello pubblicato dall'Accademia della Crusca fu anche il primo grande vocabolario apparso nell'Europa del tempo. Il fatto sorprendente è che il primo grande dizionario di una lingua moderna fu pubblicato in un'Italia divisa in Stati diversi, non ancora nazione, a differenza di altri Paesi europei nei quali, invece, l'unità linguistica e politica era già avvenuta. Eppure, agli inizi del Seicento nessun'altra lingua disponeva di un vocabolario paragonabile a quello degli Accademici della Crusca. Perché questo fu il titolo dato all'opera: non *Vocabolario della lingua italiana* (perché il vocabolario voleva stabilire il primato del fiorentino), né *Vocabolario della lingua fiorentina o della città di Firenze* (perché l'opera sarebbe apparsa troppo municipale fin dal titolo), ma *Vocabolario degli Accademici della Crusca*. In questo modo i membri dell'Accademia si assumevano la responsabilità delle scelte fatte collettivamente, evitando abilmente di compromettersi con un titolo che, per l'impostazione decisamente fiorentina, avrebbe creato polemiche. Del resto, va riconosciuto che si trattò davvero di un'opera collettiva. In origine, infatti, l'Accademia era composta da una cinquantina di soci: professori di giurisprudenza e filosofia, medici, ecclesiastici, qualche letterato e qualche poeta, ma digiuni di esperienza nel campo della filologia e della lessicografia. Fu Leonardo Salviati (1539-1589) a strapparli ai loro passatempi, alle loro conversazioni e ai loro lauti pranzi. Anzi, ai loro *stravizzi*, com'erano chiamati i sontuosi banchetti che si svolgevano ogni anno presso l'Accademia, durante i quali si leggevano i discorsi detti *cruscate* o *cicalate*, cioè orazioni scherzose, creazioni improvvisate su soggetti di poco conto. Ma Salviati, filologo di valore entrato nell'Accademia nel 1583, famoso per aver approntato un'edizione 'purgata' del *Decameron* (dopo che il capolavoro di Boccaccio era stato incluso nell'Indice dei libri proibiti) e autore delle *Regole della toscana favella*, trasformò quel gruppo dedito a riunioni conviviali e giocose in un vero e proprio laboratorio, in un'officina linguistica. Tutto l'apparato allegorico e simbolico rimase intatto: l'Accademia e gli Accademici assunsero come emblema il *frullone*, cioè lo strumento (per allora modernissimo e all'avanguardia) con cui si divideva, setacciandolo, il fior di farina dalle scorie (la crusca).

Ogni iscritto all'Accademia aveva uno pseudonimo ispirato alla preparazione del pane (Leonardo Salviati, per esempio, era l'Infarinato, mentre il segretario Bastiano de' Rossi, che aveva il compito di portare a Venezia le voci da stampare, era l'Inferigno, aggettivo che indicava il pane fatto con farina mista a cruschello), e i loro stemmi personali, detti *pale*, raffiguravano un soggetto legato al grano o alla panificazione (in quella di Salviati c'era un riccio che grufolava nella farina, in quella di de' Rossi una focaccia di farro), con un motto tratto da poeti come Dante, Petrarca e Ariosto. Lo stemma dell'Accademia, che poi comparve nel frontespizio del *Vocabolario*, era sormontato dal motto «il più bel fior ne coglie», adattamento di un verso del *Canzoniere* di Petrarca, scelto con allusione al compito dell'Accademia di cogliere il fior fiore della lingua.

Salviati morì presto, nel 1589, ma aveva preparato un abbozzo di vocabolario, una sorta di canovaccio che gli Accademici, ormai coinvolti nell'avventura, utilizzarono come traccia del loro lavoro: sappiamo che si trattava di un quaderno (una copia dell'originale è conservata nella Biblioteca Riccardiana di Firenze) nel quale erano raccolte le citazioni tratte dai testi del Trecento, con l'aggiunta dei giudizi sul valore linguistico di ogni testo.

Partendo da questi materiali lasciati loro dall'Infarinato, nella seduta del 6 marzo 1591 i cruscanti trattarono «del fare il Vocabolario», e cominciarono a stabilire le regole per lo spoglio dei testi. Possiamo immaginare e seguire da vicino il loro lavoro, perché i *Diari* manoscritti con le schede delle voci sono stati conservati, ed è possibile assistere quasi in diretta alla preparazione, osservandone le correzioni e i rifacimenti, fino alla redazione finale. E verificare che gli Accademici avevano tenuto conto, nei loro spogli, non solo degli autori del Trecento fiorentino, secondo le idee di Pietro Bembo, ma anche, secondo le idee di Leonardo Salviati, degli autori minori, di testi anonimi, di scritture di carattere pratico, volgarizzamenti, cronache famigliari, epistolari, vite di santi eccetera, con un recupero degli scrittori popolari toscani, per documentare il lessico fiorentino vivo. In più, erano presenti anche autori moderni, toscani o toscanizzanti.

La fedeltà a Salviati e alla sua concezione linguistica (il cui scopo essenziale era la difesa della fiorentinità viva della lingua) si era mantenuta anche nell'esclusione dalla tavola degli autori citati di Torquato Tasso, il poeta più celebrato del secondo Cinquecento, colpevole di non aver riconosciuto il primato fiorentino, e di aver scritto il proprio capolavoro, la *Gerusalemme liberata*, in una lingua considerata oscura, e inquinata da latinismi e lombardismi.

Gli Accademici impiegarono diciannove anni per terminare l'opera: nel 1612 il vocabolario fu pubblicato in un grosso volume. Ma che cosa conteneva questo volumone, per aver destato, quando apparve, tanti entusiasmi e tante polemiche?

Per verificarlo, scegliamo una voce qualsiasi: *granchio* (d'ora in poi nel riprodurre le voci ne modernizzeremo l'italiano). Il *granchio* viene definito come «animale che vive in acqua, e in terra, ed è notissimo». Questo modo sommario di definire le parole tecnico-scientifiche (ridotte spesso, come in questo caso, all'indicazione di «animale noto», oppure, in altri casi, «erba nota», «minerale noto») suscitò molte critiche. Ma colpisce, nella trattazione del lemma, oltre alle citazioni da opere di Boccaccio, di Iacopone da Todi, di Boiardo, di Pulci, lo spazio riservato alla lingua comune (il *granchio* nel senso di «crampo»), i modi di dire vivi a quel tempo («essere più lunatico di un granchio», perché i granchi sono pieni o vuoti a seconda che la luna sia crescente o calante; «i granchi vogliono mordere le balene», a proposito di chi, piccolo e con poca forza, vuole contrastare una persona più grande e più forte; «avere il granchio nella scarsella», detto di chi spende mal volentieri ed è lento a tirar fuori i soldi dalla tasca), fino a quelli ancora attuali («pigliare un granchio», cioè fare un errore). E la voce si chiude con *granchio* nel significato di «strumento di ferro usato dai falegnami, sul loro bancone, col quale si tiene fermo il legno da piallare», senza citazione d'autore.

Il cammino del nostro primo grande vocabolario fu lungo, e si svolse in cinque tappe, che ripercorreremo insieme. Abbiamo accennato alle polemiche sorte appena l'opera fu pubblicata, provenienti da varie città d'Italia e da vari studiosi, che accusarono gli Accademici di aver privilegiato gli autori del Trecento senza tener conto di quelli del Cinquecento, e rinfacciarono loro, in toni accesi, l'esclusione di Tasso, l'eccesso di arcaismi, il disinteresse per le parole della scienza e della tecnica e per la terminologia delle arti e dei mestieri. Queste critiche, tuttavia, non modificarono in alcun modo il metodo di lavoro degli Accademici, che nel 1623 pubblicarono una seconda edizione, accresciuta di molte voci.

Tanti cambiamenti intervennero, invece, nella terza edizione del *Vocabolario*, stampata in tre volumi nel 1691 non più a Venezia, ma a Firenze, presso la Stamperia della Crusca. Naturalmente, con il trascorrere del tempo i vecchi Accademici venivano sostituiti da nuovi: a modificare in parte l'impostazione della terza impressione contribuirono illustri grammatici, letterati e scienziati, come Benedetto Buommattei, Carlo Dati, Vincenzo Capponi, Francesco Redi (sulla vicenda dei suoi 'falsi' rinviamo al capitolo successivo), Lorenzo Magalotti, Giovanni Battista Doni, Evangelista Torricelli, Filippo Baldinucci. A favorire il nuovo clima aveva contribuito anche il cardinale Leopoldo de' Medici, figlio del granduca Cosimo II, grande mecenate della cultura fiorentina (fu lui a iniziare la collezione dei disegni e delle stampe, una delle maggiori al mondo, tuttora conservata agli Uffizi), che aveva insistito perché nella nuova edizione entrassero le espressioni dell'uso vivo e i termini delle arti, dei mestieri, della marineria e della caccia, da lui stesso raccolti e schedati nel corso di inchieste lessicali presso i fornitori del Palazzo dei Medici, per ottenere i nomi dei materiali, dei prodotti, degli strumenti e la descrizione delle operazioni fatte nelle officine.

Per fare un esempio a questo proposito, ricorreremo di nuovo alla citazione di una voce, *microscopio*. La parola viene definita come «sorta di occhiale», ed è sostenuta da quattro citazioni: una dai *Saggi di naturali esperienze* di Lorenzo Magalotti, due dalle *Esperienze intorno alla generazione degli insetti* di Francesco Redi, e una dalla *Storia del Concilio di Trento* di Pietro Sforza Pallavicino. Tenendo conto del fatto che si trattava di uno strumento di recentissima invenzione (Galilei lo chiamava «occhialino per vedere le cose minime»), la sua registrazione e il riferimento a testi di autori contemporanei (compreso lo storico Sforza Pallavicino) ci sembrano significativi.

In questa nuova edizione venne introdotta l'indicazione *v. a.*, cioè «voce antica», per segnalare le parole antiche, registrate come testimonianza storica e non come esempio da seguire. Inoltre, l'elenco degli autori da cui erano tratte le citazioni era molto più lungo, e comprendeva anche scrittori non toscani e non del Trecento, tra i quali finalmente entrò anche Torquato Tasso, il grande escluso delle prime due edizioni (ma continuava a rimanere fuori il poeta napoletano Giovan Battista Marino, colpevole di aver aderito al Barocco e di non essersi assoggettato ai criteri dell'Accademia). Inoltre aumentò il numero dei trattati scientifici presi in considerazione, così come delle voci ricavate da scrittori di scienza del Seicento, tra le quali, in misura consistente, quelle tratte dalle opere del grande Galileo Galilei (anche per lui rinviamo al capitolo successivo). Il numero dei non toscani aumentò: il napoletano Iacopo Sannazaro (già citato nella seconda Crusca), il mantovano Baldassar Castiglione, il ligure Gabriello Chiabrera, il romano Pietro Sforza Pallavicino, il marchigiano Annibal Caro.

L'avventura del nostro vocabolario non finisce qui: se il Seicento fu dominato dalla pubblicazione delle prime tre edizioni del *Vocabolario degli Accademici della Crusca*, anche la prima metà del secolo successivo fu segnata, dal punto di vista lessicografico, dalla nuova edizione dell'opera, pubblicata in sei volumi a Firenze tra il 1729 e il 1738, e ricca di oltre quarantatremila voci. Nella quarta impressione si bilanciano due istanze: da una parte i nuovi Accademici continuano a mostrare una certa attenzione all'uso moderno, dall'altra viene ribadita la fedeltà ai princìpi del toscanesimo letterario, con una chiusura più rigida, rispetto alla terza edizione, nei confronti degli autori non toscani. Gli Accademici dimostrano un nuovo interesse per la lingua toscana e per la filologia, e una rivalutazione complessiva dell'autorità della scrittura letteraria.

Anche a proposito di questa edizione si è diffuso e tramandato il cliché di un'Accademia chiusa in sé stessa, disinteressata alla modernità e all'uso vivo della lingua: al contrario, in questa edizione sono numerosissimi i proverbi e i modi di dire popolari, che gli Accademici ricavarono dal *Malmantile racquistato*, poema eroicomico scritto dal fiorentino Lorenzo Lippi, pittore di corte a Innsbruck, pubblicato dopo la sua morte, nel 1688. Basti citare le espressioni *andare in visibilio*, *andare per la maggiore*, *stare con le mani in mano*, *fare capolino*, *fare spallucce* eccetera. Non solo: un giovane studioso, Eugenio Salvatore, ha dimostrato che la quarta impressione ha registrato in abbondanza, contrariamente a quanto si è ripetuto a lungo, termini tecnici e specialistici provenienti dalla grammatica, dalla geometria, dalla botanica, dalla medicina, dall'arte e da molte altre discipline. A riprova, citeremo questa volta la voce *pastello*, nella quale i redattori del *Vocabolario* inserirono anche il significato relativo ai colori da usare in pittura, con questa definizione: «Pastelli da pittori si dicono anche quei rocchietti di colori rassodati con i quali senza adoperare materia liquida coloriscono sulla carta le figure». Alla definizione aggiunsero, oltre a una citazione dai *Due trattati della oreficeria e della scultura* di Benvenuto Cellini, anche un rinvio al *Vocabolario delle arti del disegno* di Filippo Baldinucci, pubblicato a Firenze nel 1681. Fatto notevole, perché si tratta del primo vocabolario dedicato al linguaggio delle arti: anche se Baldinucci era stato nominato Accademico della Crusca, nella terza edizione del *Vocabolario* il suo nome era stato inserito nel canone degli autori citati, ma nessuna delle sue voci delle arti e delle tecniche artistiche era stata accolta. Ora, invece, le numerose citazioni da quell'opera vengono riprodotte in modo quasi identico, segno che le resistenze nei confronti della terminologia tecnico-scientifica e artistica erano ormai cadute.

Nonostante il successo, in Italia e all'estero, nuove critiche investirono l'Accademia: l'atteggiamento dei cruscanti era mal tollerato dagli ambienti che non ne condividevano gli orientamenti linguistici letterari e arcaizzanti, e contemporaneamente lo sviluppo e il progresso delle scienze in Europa facevano sentire l'urgenza di una registrazione della terminologia specializzata in dizionari dedicati ai vari settori. Le voci dei critici si fecero sempre più insistenti. Tra i più decisi, il milanese Alessandro Verri, che nel 1765 pubblicò sulla rivista *Il Caffè* un articolo intitolato polemicamente *Rinunzia avanti notaio al Vocabolario della Crusca*, nel quale il giovane conte esprimeva tutto il suo fastidio per l'eccessivo formalismo della cultura del tempo, scagliando le proprie invettive contro l'Accademia e gli Accademici. Nel clima di polemiche anticruscanti e di riforme illuministe, il 7 luglio 1783 il granduca Pietro Leopoldo di Toscana chiuse di fatto l'Accademia, fondendola con l'Accademia fiorentina.

Siamo arrivati all'ultima, e per certi versi più triste, delle puntate. Dopo un'interruzione di quasi trent'anni, riaperta da Napoleone con un decreto del 19 gennaio 1811, l'Accademia attraversò una nuova crisi: tra il 1843 e il 1852 uscirono solo sette fascicoli di un nuovo vocabolario, che arrivavano fino alla voce *afflitto*. I successivi sarebbero stati pubblicati lentamente, fino al 1919. I criteri di compilazione invecchiati, l'aumento dei costi della stampa, i tempi lenti del lavoro, l'insufficienza del contributo statale, la pressione delle polemiche e delle campagne di stampa contribuirono a decretare la fine del progetto. L'Accademia era accusata da vari settori del mondo della cultura di «sonnolenza e incapacità», e personalità autorevoli come il critico letterario Cesare De Lollis e il filosofo Benedetto Croce si dichiararono contrarie al fiorentinismo arcaizzante del *Vocabolario* e a qualsiasi concezione di 'lingua modello'. Le polemiche portarono alla nomina di una commissione per la riforma dell'Accademia: con decreto dell'11 marzo 1923, firmato dal ministro della Cultura popolare Giovanni Gentile, fu stabilito che l'Accademia chiudesse la sua attività lessicografica per dedicarsi a compiti di sola ricerca filologica, e la pubblicazione del *Vocabolario* venne sospesa. Nello stesso anno fu dato alle stampe l'ultimo volume della quinta impressione, che rimase incompiuta: ferma, ironia della sorte, a una voce di àmbito scientifico, *ozono*.

E oggi? Dopo la ripresa delle attività, a partire dal secondo dopoguerra, l'Accademia è più viva che mai. Abbandonato l'intento normativo, l'Accademia è avvertita dagli italiani come la massima autorità in materia linguistica, alla quale ci si rivolge per dubbi e pareri di ogni tipo. La frase: «Lo dice la Crusca» è ripetuta continuamente come garanzia di correttezza linguistica. Dalla sua splendida sede nella villa Medicea di Castello (nota anche come Villa Reale), circondata da uno dei giardini più belli del mondo, l'Accademia è il più importante centro di ricerca scientifica dedicato allo studio e alla promozione dell'italiano, diffonde la conoscenza storica della lingua nazionale nella scuola e all'estero, dialoga e risponde ai dubbi linguistici degli italiani attraverso il servizio 'La Crusca risponde' e 'Il tema del mese'.

E il vocabolario? Il *Vocabolario degli Accademici della Crusca*, di cui abbiamo riassunto qui la lunga avventura, continua a vivere e a essere consultato grazie alla informatizzazione delle sue cinque edizioni, la quale permette di fare ricerche in una banca dati lessicale e lessicografica che rappresenta quattro secoli di storia della lingua italiana. Non solo: l'Accademia ha avviato il progetto di un vocabolario on line dell'italiano postunitario, il *Vocabolario dinamico dell'italiano moderno*. Alle antiche pietre preziose raccolte nel forziere del nostro primo grande vocabolario si aggiungeranno quelle che rappresenteranno il futuro della nostra lingua geniale.

11

L'italiano lingua geniale: la verità di Galileo Galilei e le bufale di Francesco Redi

TRA gli Accademici che contribuirono a rinnovare e ad allargare i confini della terza edizione del *Vocabolario degli Accademici della Crusca* abbiamo nominato Galileo Galilei (1564-1642). Galilei è noto in tutto il mondo come scienziato per le scoperte, i trattati di fisica e astronomia, le scelte coraggiose e la condanna da parte delle gerarchie della Chiesa cattolica. Noi, ovviamente, non ci occuperemo di lui come uomo di scienza, ma per il grande contributo che ha dato al linguaggio scientifico italiano.

Nel Seicento la lingua della scienza continuava a essere il latino, che dominava incontrastato nelle università e nella comunicazione tra scienziati. Anche Galileo, all'inizio della sua carriera di professore all'Università di Padova, si era servito del latino per tenere le lezioni, come facevano tutti. Ma un suo biografo racconta che il professore, per andare incontro agli studenti, faceva lezione anche in italiano. Non sappiamo come siano andate davvero le cose, ma è certo che Galileo, fin da quando era molto giovane, aveva mostrato un particolare piacere a scrivere in italiano. A ventidue anni, infatti, aveva già scritto, proprio in questa lingua, il saggio intitolato *La bilancetta*. Controcorrente, per quei tempi. D'altronde, lo scienziato non era un conformista, amava le sfide e non si curava delle reazioni dell'ambiente dei dotti. Inoltre era toscano (era nato a Pisa da una famiglia fiorentina), e come tutti i toscani aveva una grande considerazione della propria lingua materna. Per di più, Galileo non era uno scienziato immerso solo nei suoi studi, ma un intellettuale curioso e colto, commentatore erudito dell'*Inferno* di Dante, autore di liriche petrarcheggianti e di versi burleschi, nonché lettore appassionato dell'*Orlando furioso* di Ludovico Ariosto.

Quando scelse l'italiano per scrivere di scienza, Galileo lo fece perché era convinto della necessità della divulgazione del sapere. La diffusione della verità e della cultura fu sempre al centro dei suoi interessi. Sorretto da queste convinzioni, nel 1610, dopo avere scritto in latino il *Sidereus nuncius* («Messaggero celeste»), lo scienziato scelse definitivamente l'italiano per comporre due opere di grande importanza: il *Saggiatore* (1623), disputa accademica indirizzata soprattutto (ma non solo) agli specialisti, e il *Dialogo sopra i due massimi sistemi del mondo* (1632), rivolto a un pubblico ancora più ampio. A proposito del *Saggiatore* (uso figurato del nome della piccola bilancia di precisione adoperata per pesare i metalli preziosi), bisogna ricordare che nell'agosto del 1618 l'apparizione di tre comete aveva suscitato molte discussioni, alle quali aveva partecipato il potente gesuita Orazio Grassi, matematico del Collegio Romano, ostile alla dottrina galileiana. Il *Saggiatore* è la risposta, scritta da Galilei in forma di lettera, alle posizioni esposte da Grassi. Le tesi dell'avversario, scritte in latino, sono confutate in italiano: in questo modo le due lingue non solo sono messe a confronto, ma vengono anche scelte, emblematicamente, a rappresentare due diverse visioni della scienza. Per avere un'idea di come scriveva Galilei, leggiamo un brano tratto dall'opera:

> La filosofia è scritta in questo grandissimo libro che continuamente ci sta aperto innanzi agli occhi (io dico l'universo), ma non si può intendere se prima non s'impara a intender la lingua, e conoscer i caratteri ne' quali è scritto. Egli è scritto in lingua matematica, e i caratteri son triangoli, cerchi, ed altre figure geometriche, senza i quali mezzi è impossibile a intenderne umanamente parole; senza questi è un aggirarsi vanamente per un oscuro laberinto.

L'universo è paragonato a un grandissimo libro che si può leggere e capire solo se si conosce la lingua in cui è scritto, cioè la matematica, disciplina indispensabile per la comprensione e la rappresentazione scientifica delle leggi della natura. Il concetto è espresso dallo scrittore toscano in una lingua che non sembra distante da noi quattro secoli. Pur trattando un argomento scientifico, Galileo si esprime in modo chiaro, semplice, senza ricorrere a un lessico difficile, tecnico, per specialisti, tanto che non è necessario 'tradurre' le sue parole.

Anche nel *Dialogo sopra i due massimi sistemi del mondo* (cioè il sistema tolemaico, geocentrico, e il sistema copernicano, eliocentrico) Galilei si servì dell'italiano per esporre le proprie idee, ricorrendo non più alla forma della lettera ma a quella del dialogo. Attraverso il confronto delle posizioni degli interlocutori – il fiorentino Filippo Salviati, portavoce del pensiero dell'autore; Simplicio, assertore delle tesi aristoteliche e tolemaiche; e il veneziano Giovan Francesco Sagredo, persona di mente libera e aperta, senza posizioni preconcette, che discute con gli altri due –, Galileo spiega, descrive, mette a confronto le opposte concezioni, servendosi sempre di una prosa che rifiuta gli artifici retorici e punta alla chiarezza divulgativa, come nel brano che segue, nel quale Sagredo dice quello che pensa della vita sulla Luna:

> Che nella Luna o in altro pianeta si generino o erbe o piante o animali simili ai nostri, o vi si facciano pioggie, venti, tuoni, come intorno alla Terra, io non lo so e non lo credo, e molto meno che ella sia abitata da uomini: ma non intendo già come tuttavoltaché [ogni volta che] non vi si generino cose simili alle nostre, si deva [debba] di necessità concludere che niuna alterazione vi si faccia, né vi possano essere altre cose che si mutino, si generino e si dissolvano, non solamente diverse dalle nostre, ma lontanissime dalla nostra immaginazione, ed in somma del tutto a noi inescogitabili [impensabili].

Anche in questo caso, bastano piccoli ritocchi di aggiornamento e le parole del dialogo risuonano ancora oggi chiare e attuali. Galileo, del resto, sosteneva che «parlare oscuramente lo sa fare ognuno, ma chiaro pochissimi». Forte di questa persuasione, quando aveva bisogno di termini tecnici per indicare oggetti, fenomeni e strumenti nuovi, lo scienziato si servì di parole comuni, già in uso, comprensibili a tutti. Invece di ricorrere al greco o al latino per coniare nuove parole dotte, Galileo preferì riutilizzare parole italiane già esistenti, conferendo loro un significato tecnico: si pensi a termini come *àncora*, *candore*, *momento*, *pendolo*, *bilancetta*, o all'espressione *macchie solari* per indicare le chiazze individuate nel Sole attraverso il *cannocchiale*, lo strumento inventato dallo stesso Galileo per osservare gli astri e chiamato così da un suo contemporaneo attraverso la combinazione di due parole già esistenti: *canna* (o forse *cannone*), che significava «tubo», e *occhiale*, che significava «lente». In seguito, lo stesso strumento fu indicato da altri scienziati con la parola dotta *telescopio* (strumento per vedere lontano, dal greco *tele-*, «lontano», e *skopèo*, «vedo»), e anche Galileo cominciò a servirsi di questo grecismo, senza però abbandonare del tutto il termine *cannocchiale*; allo stesso modo, mal sopportando la terminologia di origine classica, lo scienziato preferiva indicare il *microscopio* semplicemente come «occhialino per vedere le cose da vicino».

La scelta galileiana in favore dell'italiano non fu indolore, e non passò sotto silenzio. Gli scienziati del tempo la giudicarono un affronto: il grande astronomo tedesco Keplero, addirittura, lo accusò di «*crimen laesae humanitatis*», cioè di «crimine contro l'umanità». I testi scientifici di Galileo continuarono a diffondersi in Europa in traduzioni latine, e il latino continuò a essere usato da molti scienziati italiani. Intanto, però, Galileo era riuscito a proporre un modello di italiano adatto alla descrizione di fenomeni tecnico-scientifici, promuovendo il toscano della grande tradizione letteraria anche a lingua della scienza.

Tra i consoci in Accademia, Galilei ebbe l'aretino Francesco Redi (1626-1698), medico di corte di Ferdinando II de' Medici, scienziato e scrittore, fondatore della biologia moderna, passato alla storia per gli esperimenti descritti in una prosa colloquiale, disinvolta, discorsiva, di gradevole lettura. Eccone un brano tratto dalle *Esperienze intorno alla generazione degli insetti* (1668), nel quale lo studioso riesce a rappresentarci, come in un ingrandimento fotografico a colori, un tipo particolare di mosche osservate al microscopio:

> Ne scapparono fuora certe bizzarre mosche [...] da niuno istorico giammai, che io sappia, descritte: imperocché [perché] elle son molto minori di quelle mosche ordinarie che le nostre mense frequentano ed infestano; volano con due ali quasi d'argento, che la grandezza non eccedono del loro corpo, che è tutto nero, e di color ferrigno brunito e lustro nel ventre inferiore, il quale rassembra [somiglia] nella figura a quello delle formiche alate, con qualche rado peluzzo mostrato dal microscopio. Due lunghe corna o antenne (così le chiamano gli scrittori dell'Istoria naturale) sulla testa s'inalzano: le prime quattro gambe non escono dall'ordinario dell'altre mosche; ma le due diretane [posteriori] sono molto più lunghe e più grosse di quello che a sì piccolo corpicciuolo parrebbe convenirsi.

Proprio Redi, tra gli Accademici, era stato tra i più impegnati nel rinnovamento del *Vocabolario*, e per raccogliere materiali si era procurato manoscritti importanti di argomento scientifico, conservati oggi nella Biblioteca Laurenziana di Firenze. Si lega a questa sua raccolta un episodio da libro giallo: secoli dopo si è scoperto che molti degli esempi aggiunti da Redi alle nuove voci scientifiche inserite nel *Vocabolario* erano, in realtà, dei falsi. Lo scienziato aveva corredato le schede di esempi da lui inventati, attribuendoli ad autori di cui dichiarava di possedere i manoscritti, ma che nessuno, naturalmente, aveva mai visto né avrebbe potuto controllare.

Un imbroglio a fin di bene, in fondo. Pur di documentare con testimonianze scritte voci scientifiche che gli sembravano fondamentali e indispensabili, gli esempi se li era inventati!

12

Perché Manzoni è il secondo padre della lingua italiana?

L'OTTOCENTO, come ben sappiamo, è il secolo che vide realizzarsi l'unità d'Italia. In precedenza gli intellettuali italiani avevano tentato di rimediare alla mancanza di unità politica cercando di darsi, almeno, un'unità linguistica. Quando l'Italia divenne finalmente uno Stato unitario, il problema della lingua si trasformò: da disputa letteraria che era, diventò un problema sociale e politico, tale da coinvolgere non più pochi scrittori, ma milioni di cittadini. Chi più di tutti ebbe coscienza di questa trasformazione, e anzi la accelerò, fu Alessandro Manzoni (1785-1873).

Per l'autore dei *Promessi sposi*, così come per tutti gli esponenti del Romanticismo italiano, la letteratura e la lingua che la veicolava dovevano essere diffuse presso fasce ampie di popolazione, in particolare presso quegli strati borghesi che rappresentavano la nuova classe produttiva. Per Manzoni e per i suoi seguaci la separazione fra letterati e illetterati, fra scrittori e pubblico non aveva alcun senso: la lingua, diceva Manzoni, deve essere comune a chi scrive e a chi legge, a chi parla e a chi ascolta.

In due lettere indirizzate all'amico francese Claude Fauriel (la prima del 1806 e la seconda del 1821), 'don Lisander', come lo chiamavano i milanesi, si dichiarò invidioso degli scrittori francesi, che disponevano di una lingua viva, diffusa in tutta la nazione, parlata e capita da tutti. Gli scrittori italiani, al contrario, non avevano che una lingua morta (il fiorentino letterario del Trecento, uguale a sé stesso da cinque secoli), che non era parlata (per parlare si usavano i dialetti locali) né capita da tutti.

Nel 1821 Manzoni si accinse a realizzare il suo romanzo. Ne diede una prima versione (mai pubblicata) fra il 1821 e il 1823, e una seconda fra il 1825 e il 1827. Questa fu la prima edizione a stampa, pubblicata nel 1827 e nota agli studiosi come la 'ventisettana'.

Queste due stesure dei *Promessi sposi* non soddisfecero l'autore, che restò profondamente scontento della lingua usata. L'italiano della versione 1821-1823 gli apparve, per usare le sue stesse parole, «un composto indigesto di frasi un po' lombarde, un po' toscane, un po' francesi, un po' anche latine», cioè una lingua ibrida, fondata sul fiorentino letterario e infarcita di parole ed espressioni del dialetto milanese (che avrebbero dovuto renderla più viva), di francesismi (che avrebbero dovuto renderla più alla moda) e di latinismi (che avrebbero dovuto renderla più colta ed elegante). Nell'edizione del 1827 Manzoni cercò di eliminare questo disordine, sostituendo i termini dialettali con voci schiettamente toscane. Tuttavia, neanche questa 'traduzione' dal milanese al toscano lo soddisfece, perché per realizzarla non si era rifatto al toscano 'vivo' (cioè parlato), ma al toscano 'morto' (cioè preso dai libri e dai vocabolari).

Alla fine, in quale lingua avrebbe dovuto scrivere il romanzo?

La lingua letteraria non era né viva né comune; il suo dialetto d'origine, il milanese, era sì vivo, ma di àmbito geografico limitato: nessuno, fuori di Milano e della Lombardia, lo avrebbe compreso.

Fra i tanti dialetti parlati in Italia, la storia aveva accordato un primato al fiorentino: era l'unica varietà a cui tutti erano disposti a riconoscere una certa superiorità storica rispetto alle altre; inoltre, era da secoli il fondamento della lingua scritta. La scelta di Manzoni, pertanto, cadde sul fiorentino: non su quello letterario del Trecento, ma su quello parlato nell'Ottocento dalle persone colte. Seguendo questo modello di lingua viva e parlata, lo scrittore si applicò con impegno alla famosa risciacquatura dei panni in Arno.

In occasione dell'edizione 'quarantana' dei *Promessi sposi* (pubblicata in fascicoli dal 1840 al 1842) Manzoni rivide integralmente e sistematicamente la lingua della 'ventisettana' e sostituì tutte le parole e le forme dalla patina antica, letteraria o dialettale (del suo dialetto di provenienza, il milanese) con forme del fiorentino medio. In questo modo diede vita a un nuovo modello di lingua letteraria, vicino alle forme della comunicazione quotidiana e simile, per molti aspetti, all'italiano attuale.

Ma vediamo in che cosa consistette la risciacquatura dei panni in Arno confrontando un passo dell'edizione del 1827 dei *Promessi sposi* (il primo dei due seguenti) con lo stesso passo rivisto nell'edizione del 1840-1842:

> *Giunge* al paese del cugino; all'entrare, anzi prima di *porvi* piede, distingue una casa alta alta, a più ordini di

lunghe finestre le une sovrapposte all'altre, con di mezzo un più picciolo spazio che non si richiegga ad una divisione di piani; riconosce un filatoio, entra, chiede ad alta voce, fra il *romore* dell'acqua cadente e delle ruote, se abiti *quivi* Bortolo Castagneri. «Il signor Bortolo! Eccolo là.»

– Il signor! buon segno, – pensa Renzo; vede il cugino, corre a lui. *Quegli si volge*, riconosce il giovane, che gli dice: «son qui, io». Un oh di sorpresa, un levar di braccia, un *gittarsele* al collo scambievolmente. Dopo quelle prime accoglienze, Bortolo tira il nostro giovane lungi dallo strepito degli ordigni, e dagli occhi dei curiosi, in un'altra stanza, e gli dice: «ti vedo volentieri; ma sei un benedetto figliuolo. Ti *aveva* invitato tante volte; *mai non volesti venire*; ora arrivi in un momento un po' *impacciato*».

Arriva al paese del cugino; nell'entrare, anzi prima di *mettervi* piede, distingue una casa alta alta, a più ordini di finestre lunghe lunghe; riconosce un filatoio, entra, domanda ad alta voce, tra il *rumore* dell'acqua cadente e delle rote, se stia *lì* un certo Bortolo Castagneri. «Il signor Bortolo! Eccolo là.»

Signore? buon segno, – pensa Renzo; vede il cugino, gli corre incontro. *Quello si volta*, riconosce il giovine, che gli dice: «son qui». Un oh! di sorpresa, un alzar di braccia, un *gettarsele* al collo scambievolmente. Dopo quelle prime accoglienze, Bortolo tira il nostro giovine lontano dallo strepito degli ordigni, e dagli occhi de' curiosi, in un'altra stanza, e gli dice: «ti vedo volentieri; ma sei un benedetto figliuolo. T'*avevo* invitato tante volte; *non sei mai voluto venire*; ora arrivi in un momento un po' *critico*».

Possiamo notare, attraverso i nostri corsivi nei due brani, che Manzoni abbandona parole e forme letterarie molto formali e le sostituisce con parole e forme semplici e colloquiali: *giunge* è sostituito da *arriva*, *porvi* è sostituito da *mettervi*, una frase tipicamente letteraria come *Quegli si volge* è sostituita da una sequenza colloquiale come *Quello si volta*; *romore* e *gittarsele* scompaiono, soppiantati dai più moderni *rumore* e *gettarsele*. Verso la fine del passo, la forma moderna della prima persona dell'imperfetto indicativo *io avevo*, con la desinenza in *-o*, sostituisce la forma antica *io aveva*, con la desinenza in *-a*, normale nel fiorentino letterario trecentesco e per questo imposta, fino a Ottocento inoltrato, da grammatici e maestri di scuola (guai a scrivere *io avevo*, secondo costoro: seguendo Dante, Petrarca e Boccaccio, bisognava scrivere *io aveva*!). In chiusura, una sequenza caratterizzata da un ordine elaborato delle parole e dall'uso del passato remoto (*mai non volesti venire*) è sostituita da una sequenza caratterizzata da un ordine normale delle parole e dall'uso del ben più colloquiale passato prossimo (*non sei mai voluto venire*).

Con questi cambiamenti, e con i molti altri che applicò alla lingua dei *Promessi sposi*, Manzoni pose le basi dell'italiano moderno. Per averne una prova ulteriore, sarà sufficiente confrontare, nell'ordine, un passo del *Decameron* boccacciano, uno di un romanzo che precede solo di poco l'edizione definitiva dei *Promessi sposi* (*La vita di Erostrato*, del 'nemico della Crusca' Alessandro Verri, pubblicata nel 1815) e un altro passo dell'edizione definitiva dei *Promessi sposi*:

> La luce, il cui splendore la notte fugge, aveva già l'ottavo cielo d'azzurrino in color cilestro mutato tutto, e cominciavansi i fioretti per li prati a levar suso, quando

Emilia levatasi fece le sue compagne e i giovani parimenti chiamare; li quali venuti e appresso alli lenti passi della reina avviatisi, infino a un boschetto non guari [non molto] al palagio lontano se n'andarono, e per quello entrati, videro gli animali, sì come cavriuoli, cervi e altri, quasi sicuri da' cacciatori per la soprastante pistolenzia [pestilenza], non altramenti aspettargli che senza tema o dimestichi fossero divenuti.

Quello che si narra di Ecuba quando avea Paride in grembo, avvenne ad Ippodamia madre di Erostrato. Perché sognavasi continuamente di produrre faci, le quali incendessero or palagi, or templi, ond'ella spesso dal terrore destata invocava gli Dei, e si querelava col suo consorte. Ma Cleante, che tale era il suo nome, anziché sgorgare in lamenti infruttuosi, interrogava gl'indivini, consultava gli oracoli, offeriva vittime per investigare la mente de' Numi, e placarli se fossero sdegnati.

– Carneade! Chi era costui? – ruminava tra sé don Abbondio seduto sul suo seggiolone, in una stanza del piano superiore, con un libricciolo aperto davanti, quando Perpetua entrò a portargli l'imbasciata. – Carneade! questo nome mi par bene d'averlo letto o sentito; doveva essere un uomo di studio, un letteratone del tempo antico: è un nome di quelli; ma chi diavolo era costui? – Tanto il pover'uomo era lontano da preveder che burrasca gli si addensasse sul capo!

Basta un colpo d'occhio per renderci conto che la lingua del romanzo del 1815 è più vicina alla prosa di Boccaccio (distante quasi cinque secoli) che a quella di Manzoni (distante appena venticinque anni). Contemporaneamente, vediamo che la lingua dell'autore dei *Promessi sposi* non è affatto lontana dalla nostra.

Insomma, fra l'italiano prima di Manzoni e l'italiano dopo Manzoni c'è un abisso. Nella serie ideale dei padri della lingua, il secondo posto, subito dopo quello di Dante, spetta pertanto a lui.

13

«Me ne frego!» L'italiano dal balcone di Palazzo Venezia

Se la lingua dell'autore dei *Promessi sposi* non è affatto lontana dalla nostra, un'altra lingua, ben diversa, fu usata e declamata dal balcone di piazza Venezia a Roma. Da qui Benito Mussolini pronunciò alcuni dei suoi discorsi più retorici e violenti.

Di quale lingua stiamo parlando? Dell'italiano di regime, quello promosso, diffuso, propagandato durante gli anni della dittatura mussoliniana.

A dare impulso a questa lingua fu proprio il duce: abile comunicatore, Mussolini si appropriò del modello di oratoria creato dal più famoso e venerato scrittore dell'epoca, Gabriele D'Annunzio, adattandolo però a un uditorio più vasto e popolare, banalizzandolo e caricandolo enfaticamente di riferimenti ai fasti della Roma imperiale, di slogan di regime sfruttati e ripetuti in modo ossessivo.

Per averne la prova, basta rileggere il discorso pronunciato dal balcone di Palazzo Venezia il 9 maggio 1936, in occasione della proclamazione dell'impero:

> Ufficiali! Sottufficiali! Gregari di tutte le Forze Armate dello Stato, in Africa e in Italia! Camicie nere della Rivoluzione! Italiani e italiane in patria e nel mondo! Ascoltate! [...] Tutti i nodi furono tagliati dalla nostra spada lucente e la vittoria africana resta nella storia della patria, integra e pura, come i legionari caduti e superstiti la sognavano e la volevano. L'Italia ha finalmente il suo impero. Impero fascista, perché porta i segni indistruttibili della volontà e della potenza del Littorio romano, perché questa è la meta verso la quale durante quattordici anni furono sollecitate le energie prorompenti e disciplinate delle giovani, gagliarde generazioni italiane. Impero di pace perché l'Italia vuole la pace per sé e per tutti e si decide alla guerra soltanto quando vi è forzata da imperiose, incoercibili necessità di vita. Impero di civiltà e di umanità per tutte le popolazioni dell'Etiopia. Questo è nella tradizione di Roma, che, dopo aver vinto, associava i popoli al suo destino. Ecco la legge, o Italiani, che chiude un periodo della nostra storia e ne apre un altro come un immenso varco aperto su tutte le possibilità del futuro [...]. Il popolo italiano ha creato col suo sangue l'impero. Lo feconderà col suo lavoro e lo difenderà contro chiunque con le armi. In questa certezza suprema, levate in alto, o legionari, le insegne, il ferro e i cuori a salutare, dopo quindici secoli, la riapparizione dell'impero sui colli fatali di Roma. Ne sarete voi degni? Questo grido è come un giuramento sacro, che vi impegna, dinanzi a Dio e dinanzi agli uomini, per la vita e per la morte! Camicie nere, legionari, saluto al Re!

Mussolini ricorre con abilità all'intero armamentario della tecnica oratoria: dai vocativi (*o Italiani*, *o legionari*) agli imperativi (*Ascoltate!*, *levate in alto le insegne*), dalle domande retoriche (*Ne sarete voi degni?*) all'evocazione di *spade lucenti*, *energie prorompenti*, *giovani gagliarde generazioni*, *colli fatali*, *certezze supreme*, *giuramenti sacri*, via via fino all'esclamazione finale e teatrale, *per la vita e per la morte!*, con la quale scatenare gli applausi e gli entusiasmi della folla. Oltre a quelli dannunziani sono presenti, nei discorsi e negli scritti di Mussolini, echi di quelli di Garibaldi, Mazzini, Carducci, Pascoli, Marinetti, fino a Nietzsche e a George Sorel, mescolati con prelievi dalla stampa sindacalista-rivoluzionaria, dal giornalismo antidemocratico e nazionalista, dal gergo bellicista. Come ha scritto Enzo Golino, «un cliché di provinciale sofisticazione guida Mussolini a preferire termini come *abitatore*, *artiere*, *combattitore*, *inobliabile*, *periglio*, *rurale*, *significazione* in luogo dei corrispondenti e più comuni *abitante*, *operaio*, *combattente*, *indimenticabile*, *pericolo*, *contadino*, *significato*».

Del bagaglio linguistico mussoliniano è rimasto poco nella lingua italiana contemporanea, e il numero di invenzioni lessicali è piuttosto povero, se si escludono parole come *squadrismo* e *squadrista*, *teppaglia* e *teppistico*, *settarismo* e poche altre; o espressioni come *colli fatali*, ancora in uso con tono ironico e scherzoso per alludere alla città di Roma; o *colpo di spugna* nel senso di «cancellazione»; o il famoso *bagnasciuga*: Mussolini usò la parola in un discorso del 24 giugno 1943, per indicare la zona della spiaggia dove si rompono le onde, declamando: «Bisogna che non appena il nemico tenterà di sbarcare, sia congelato su quella linea che i marinai chiamano bagnasciuga». Il duce non tenne conto, però, del fatto che la linea della spiaggia dove il mare finisce è la *battigia*, mentre il *bagnasciuga* è la linea di galleggiamento delle navi. Quel discorso, pronunciato a pochi mesi dallo sbarco in Sicilia degli alleati angloamericani, fu detto da allora in poi, per scherno, 'discorso del bagnasciuga'.

Due anni e cinque mesi dopo il discorso di piazza Venezia, il 25 ottobre 1938, al palazzo del Littorio (cioè Palazzo Vidoni Caffarelli in corso Vittorio Emanuele II a Roma), Mussolini pronunciò queste parole:

> Vediamo un po' cosa è successo nel sedicesimo anno del regime. È successo un fatto di grandissima importanza. Abbiamo dato dei poderosi cazzotti nello stomaco a questa borghesia italiana. L'abbiamo irritata, l'abbiamo scoperta, l'abbiamo identificata.
>
> Il primo cazzotto è stato il passo romano di parata. Il popolo adesso lo adora [...]. Altro piccolo cazzotto: l'abolizione del 'lei'. È incredibile che da tre secoli tutti gli italiani, nessuno escluso, non abbiano protestato contro questa forma servile, che ci è venuta dalla Spagna del tempo. Fino al Cinquecento gli italiani non hanno conosciuto che il 'tu' e il 'voi'. Poi solo il 'tu', ignorando il 'lei' [...]. Altro cazzotto nello stomaco è stata la questione razziale. Io ho parlato di razza ariana nel 1921, e poi sempre di razza [...]. Il problema razziale è per me una conquista importantissima, ed è importantissimo l'averlo introdotto nella storia d'Italia.

In quel discorso si accostavano, tra i vari *cazzotti*, tre questioni imparagonabili per gravità: il passo romano di parata, l'uso del *voi* al posto del *lei* e il *problema razziale*. Ma proprio l'aver messo sullo stesso piano questioni così diverse e così lontane tra loro consente di ricondurre il discorso al tema della politica linguistica del fascismo.

Dal 1922 al 1943 fu praticata, per la prima volta in Italia, una vera e propria politica linguistica. I momenti più significativi, a volte grotteschi e quasi comici, a volte drammatici, possono essere rievocati seguendo i vari momenti attraverso i quali quella politica fu attuata. Si trattò di interventi le cui prime manifestazioni risalivano al clima di purismo di matrice nazionalista e irredentista che si era manifestato già negli anni successivi all'Unità d'Italia.

L'aspetto più noto riguardò la lotta contro le parole straniere. Con la legge n. 352 dell'11 febbraio 1923 fu imposta una tassa sulle parole non italiane. Ebbe così inizio una campagna di purismo xenofobo che riempì le pagine dei quotidiani e delle riviste. Giornalisti i cui nomi sono oggi dimenticati ma che allora erano molto noti, come Pasquale De Luca, che scriveva sul *Corriere della Sera*, e Gaetano Milanesi, firma del *Corriere Italiano*, presero posizione sull'argomento. Nello stesso periodo uno degli intellettuali più autorevoli del tempo, Filippo Tommaso Marinetti, il padre del Futurismo, intervenne nel numero inaugurale dell'*Impero* dell'11 marzo 1923 con un vero e proprio manifesto degli obiettivi da raggiungere per la «difesa dell'italianità», in cui si chiedeva l'italianizzazione obbligatoria e immediata delle diciture, delle insegne, delle liste delle vivande negli alberghi, nei negozi e nella corrispondenza commerciale.

Il 27 giugno 1923 Benito Mussolini, in una nota indirizzata al ministero dell'Interno, scriveva:

> La deplorevole e deplorata abitudine di molti commercianti italiani che usano parole e locuzioni straniere nelle insegne e mostre delle proprie botteghe è sperabile che

abbia ad essere sensibilmente frenata dal Regio Decreto legge [...]. Io credo che si debba più direttamente ed energicamente agire per combattere la predetta abitudine, indizio di deficiente spirito e sentimento italiano [...]. Questo divieto dovrebbe essere esteso con una norma generale a tutti i Comuni del Regno e con criteri anche più rigorosi onde le locuzioni italiane non solo non si scompagnino mai dalle straniere ma abbiano una forma e un carattere del tutto preminente.

Nel 1926 l'atteggiamento nei confronti delle parole straniere si fece ancora più intransigente: il 16 agosto di quell'anno il presidente del senato Tommaso Tittoni, personaggio molto autorevole del regime, pubblicò nella rivista *Nuova Antologia* un articolo intitolato «La difesa della lingua italiana», in cui scriveva:

Il dire con locuzione esotica ciò che può dirsi non meno bene italianamente è un delitto di lesa patria [...]. Qualcuno faccia il giro delle redazioni dei giornali e scacci questi sfregiatori della lingua italiana [...]. Quando leggo queste birbonate linguistiche mi sento acceso di sdegno e penso: possibile che non si trovi qualcuno il quale, ispirandosi all'esempio di Gesù che scacciò i mercanti dal tempio, o a quello di Dante che mise sottosopra la bottega del fabbro che storpiava i suoi versi, faccia il giro delle redazioni dei giornali e scacci questi sfregiatori della lingua italiana? Potrebbe ordinar ciò il Duce.

Negli anni Trenta, in una situazione linguisticamente sempre più autarchica, nacquero diverse iniziative giornalistiche contro le parole straniere. Nel 1932 il quotidiano romano *La Tribuna* bandì un concorso a premi per la sostituzione di cinquanta parole straniere, mentre la *Gazzetta del Popolo* di Torino diede il via alla rubrica «Una parola al giorno», per «ripulire la nostra lingua dalla gramigna delle parole straniere che hanno invaso e guastato ogni campo», in cui Paolo Monelli, giornalista allora già molto noto e scrittore di grande successo (grazie al libro *Le scarpe al sole*, pubblicato nel 1921, in cui aveva raccontato la sua esperienza al fronte durante la Prima guerra mondiale), proponeva ai lettori le sostituzioni delle parole non italiane. La rubrica costituì il punto di partenza per il libro di Monelli poi pubblicato nel 1933, e intitolato, significativamente, *Barbaro dominio. Cinquecento esotismi esaminati, combattuti e banditi dalla lingua con antichi e nuovi argomenti, storia ed etimologia delle parole e aneddoti per svagare il lettore*.

L'ostilità verso tutto ciò che era straniero si intensificò nel 1936, quando si arrivò al decreto-legge n. 2172 del 5 dicembre 1938 sulle «denominazioni del pubblico spettacolo». Le denominazioni e i nomi stranieri furono vietati sia per i locali di pubblico spettacolo sia per i neonati di nazionalità italiana (art. 72 del nuovo ordinamento dello stato civile, promulgato con decreto n. 1238 del 9 luglio 1939). Da quel momento anche i nomi e i cognomi furono italianizzati, e gli artisti che avevano scelto nomi d'arte esotici ne pagarono le spese: Wanda Osiris divenne Vanda Osiri, Lucy D'Albert divenne Lucia D'Alberti, Renato Rascel passò a Renato Rascelle, Elena Grey cambiò in Elena Grei e Doris Duranti in Dori Duranti. Ma a parte questi provvedimenti, che colpirono personaggi noti dello spettacolo, nel 1939 sul *Popolo d'Italia* fu condotta una campagna ben più grave, di stampo razzista, in generale contro le insegne in lingua straniera, ma con particolare accanimento nei confronti di quelle che comparivano nei negozi di cittadini ebrei.

Nel 1938 un'altra novità riguardò i periodici illustrati. In quell'anno si riunì a Bologna un congresso di specialisti della letteratura per ragazzi, presieduto da Filippo Tommaso Marinetti, autore, per l'occasione, di un *Manifesto della letteratura giovanile* in quindici punti. In seguito al congresso di Bologna, il ministero della Cultura popolare emanò una serie di direttive rivolte agli editori di storie illustrate. Le serie ideate negli Stati Uniti dovevano essere sostituite da racconti italiani: ai fumetti americani di successo, come *Topolino* (traduzione italiana di *Mickey Mouse*), si dovevano contrapporre personaggi più italiani, come per esempio *Gino e Gianni*, *Saturnino Farandola*, *Romano il legionario*, *Lucio l'avanguardista*. In quel periodo *Flash Gordon* diventò *Flasce Gordon*, e *Mandrake* fu trasformato in *Mandrache*.

L'acme del fenomeno si raggiunse nel 1940 (l'Italia era già entrata in guerra), quando si arrivò al divieto assoluto di parole straniere nell'intestazione delle ditte e nella pubblicità, sotto pena di sanzioni che potevano arrivare, almeno in teoria, alla detenzione. Contemporaneamente, la Reale Accademia d'Italia, che aveva tra i suoi compiti la difesa dell'italianità, fu incaricata dal governo di sostituire le parole straniere con parole italiane. L'Accademia era stata fondata nel 1929 allo scopo di «promuovere e coordinare il movimento intellettuale italiano nel campo delle scienze, delle lettere e delle arti, di conservare puro il carattere nazionale, secondo il genio e le tradizioni della stirpe e di favorirne l'espansione e l'influsso oltre i confini dello Stato» (come recitava l'art. 2 dello statuto). Di fatto, l'Accademia Reale d'Italia era stata costituita sciogliendo e assimilando l'Accademia Nazionale dei Lincei, fondata nel 1603 da Federico Cesi. La nuova istituzione scelse, almeno inizialmente, di tenere un atteggiamento moderato nelle questioni linguistiche, senza schierarsi contro le parole straniere. Ma dal 1938 (l'anno dei primi provvedimenti sulla razza) la situazione si fece più difficile, e nel 1939 l'Accademia fu incaricata di stendere gli elenchi ufficiali delle sostituzioni delle parole straniere, attraverso una 'Commissione per l'espulsione dei barbarismi dalla lingua italiana' (poi trasformata, con una denominazione meno aggressiva, nella più moderata 'Commissione per l'italianità della lingua'). L'Accademia aveva l'incarico di tradurre, sostituire o italianizzare non solo le parole, ma anche i nomi stranieri di località.

Nella Commissione erano presenti alcuni degli intellettuali più stimati del tempo. Solo per citare i più noti, Giulio Bertoni, Riccardo Bacchelli, Emilio Cecchi, Enrico Falqui, Clemente Merlo, Filippo Tommaso Marinetti, Alfredo Schiaffini, Giovanni Mosca, Alfredo Panzini, Giorgio Pasquali e il linguista Bruno Migliorini, che però partecipò a un'unica riunione. La Reale Accademia, attraverso le riunioni della Commissione, arrivò a sostituire quasi millecinquecento parole straniere con altrettante parole italiane. Qualche esempio tra i più curiosi: *cocktail* › *arlecchino*; *cric* › *martinetto*; *dessert* › *fin di pasto*; *fox-trot* › *volpina*; *gin* › *gineprella*; *goulasch* › *spezzatino all'ungherese*; *manicure* › *manicura*; *sauté* › *sfritto*; *shaker* › *sbattighiaccio*; *shampooing* › *lavanda dei capelli*; *soubrette* › *brillante*; *toast* › *pantosto*; *uovo à la coque* › *uovo scottato*; *vol-au-vent* › *ventìvolo*. Queste sostituzioni oggi possono far sorridere, ma va ricordato che altre, che non avevano niente di ridicolo, ebbero successo e riuscirono a imporsi nell'uso, come *ascensore* per *elevator* o *lift*, *autista* per *chauffeur*, *regista* per *regisseur*, *soprabito* per *sortout*, *sportello* per *guichet*, *libretto* per *carnet* eccetera.

L'elenco delle parole straniere con le corrispondenti parole italiane confluì in un *Bollettino*, che avrebbe messo in pratica la legge del 23 dicembre 1940, secondo le disposizioni del ministero dell'Interno:

> La Reale Accademia d'Italia, sentito il parere di un'apposita commissione da essa nominata, determina quali parole straniere possano ritenersi acquisite alla lingua italiana o in essa tollerate; suggerisce, inoltre, i termini italiani da sostituire a quelli stranieri di più largo uso. Tali denominazioni sono pubblicate nella *Gazzetta Ufficiale* e nel *Bollettino* di informazione dell'Accademia medesima.

Uno degli strumenti più importanti della propaganda e della politica linguistica del regime fu la scuola. Dall'anno scolastico 1930-1931 il libro di testo unico edito dalla Libreria dello Stato fu introdotto nelle prime due classi delle scuole elementari, contribuendo al processo di fascistizzazione degli italiani fin dalla prima infanzia. Il libro unico comprendeva la storia della rivoluzione fascista e dei suoi protagonisti, primo fra tutti il duce.

Nel *Sillabario e piccole letture* pubblicato nel 1936 dalla Libreria dello Stato «per iniziare i piccoli alla lettura», la parola *fascio* è spiegata ai bambini delle classi elementari con queste parole:

> Il fascio! I bambini lo conoscono bene. Lo vedono nella scuola e nella casa: lo vedono nel piccolo scudetto che il babbo porta all'occhiello della giacca e che la mamma appunta sul suo vestito.
>
> Tutti i bambini d'Italia sono piccoli fascisti. Amano il Re, amano il Duce. Hanno imparato i canti della Patria e li ripetono lietamente: «Giovinezza, giovinezza, primavera di bellezza!»

A partire dall'instaurazione delle leggi razziali nel 1938, il libro unico diventò anche un veicolo di diffusione dell'ideologia razzista. Nelle scuole secondarie i libri di testo erano scritti da una commissione nominata dal ministero dell'Educazione nazionale, e i programmi d'insegnamento erano stabiliti in base alle esigenze politiche del regime. Per dare un'idea del condizionamento della scuola e dell'editoria scolastica, può essere utile rileggere le dediche di due dizionari della lingua italiana molto diffusi durante il ventennio: il *Vocabolario della lingua italiana* di Nicola Zingarelli, a partire dalla IV edizione (1930), era dedicato «A Benito Mussolini restauratore delle sorti d'Italia», e il *Dizionario della lingua italiana* di Enrico Mestica, edito nel 1936, «A Benito Mussolini Duce d'Italia fondatore dell'Impero».

Vennero vietati i libri di testo di autori di «razza ebraica», anche se scritti in collaborazione con autori ariani, comprendendo in questo provvedimento tutti gli scrittori ebrei morti dopo il 1850. I testi di autori ebrei già pubblicati vennero ritirati dal commercio e tolti dalla consultazione nelle biblioteche.

Nella politica scolastica ebbe un ruolo importante la campagna contro i dialetti. In una prima fase si erano applicate le idee del pedagogista Giuseppe Lombardo Radice (1879-1938), che aveva introdotto il metodo «dal dialetto alla lingua» nei programmi scolastici della riforma Gentile del 1923. Ma in seguito, con il consolidarsi del regime e il timore di spinte localistiche e autonomistiche, l'ostilità e l'ostracismo contro i dialetti, visti come ostacoli all'ideologia nazionale, si intensificarono, trasformandosi all'inizio degli anni Trenta in una vera e propria politica antidialettale. Per dare un'idea del clima di purismo sciovinista del tempo, può essere utile ricordare alcune delle comunicazioni scritte (dette 'veline') attraverso le quali si diramavano alla stampa e alla radio le direttive del governo:

- «Si ricorda ai giornali di Roma di non dar rilievo al teatro dialettale» (velina del 13 luglio 1932).
- «È stato raccomandato ai giornali di non dire che Carnera è friulano ma di ricordare soltanto che è italiano» (velina del 16 febbraio 1933).
- «Non pubblicare articoli, poesie o titoli in dialetto. L'incoraggiamento alla letteratura dialettale è in contrasto con le direttive spirituali e politiche del regime, rigidamente unitarie. Il regionalismo, e i dialetti che ne costituiscono la principale espressione, sono residui dei secoli di divisione e di servitù della vecchia Italia» (velina del dicembre 1931).
- «I quotidiani, i periodici e le riviste non devono più

occuparsi in modo assoluto del dialetto» (velina del 22 settembre 1941).

- «Non occuparsi di produzioni dialettali e dialetti in Italia, sopravvivenze di un passato che la dottrina morale e politica del Fascismo tende decisamente a superare» (velina del 4 giugno 1943).

Altro aspetto del dirigismo linguistico del fascismo fu la lotta contro le minoranze linguistiche, che si manifestò con varie iniziative: l'imposizione dell'italiano in Valle d'Aosta, la politica etnica ai danni della minoranza di lingua tedesca in Alto Adige e tedesca e slovena nella Venezia Giulia, l'italianizzazione forzata della toponomastica, l'obbligo di italianizzare i cognomi slavi o tedeschi. Anche in questo caso, si trattava di istanze precedenti rispetto all'avvento del fascismo: già alla fine della Prima guerra mondiale Ettore Tolomei, senatore del Regno ed esponente del nazionalismo italiano, aveva condotto una battaglia per attribuire alla lingua italiana priorità assoluta nella comunicazione pubblica, nelle insegne, negli avvisi: il testo elaborato sulla questione da Tolomei era stato approvato da Vittorio Emanuele Orlando, ministro dell'Interno, l'11 novembre 1918. Con l'avvento del fascismo si arrivò a una radicalizzazione dei provvedimenti, che possono essere rievocati attraverso la citazione di un brano di una lettera di Mussolini del 7 agosto 1923 al ministro della Pubblica istruzione Giovanni Gentile:

> «L'uso del linguaggio francese è in quelle valli [della Valle d'Aosta] così esteso da richiedere un particolare ed eccezionale insegnamento nelle scuole elementari. Non

vogliamo costringere con la forza quelle popolazioni a non parlare francese. Ma neanche dobbiamo incoraggiarle e aiutarle a continuare in un costume che avrebbe dovuto già cessare. In Italia si parla italiano.»

Per ricostruire il clima del tempo può essere utile citare anche tre parti di altrettanti decreti-legge:

«Nella provincia di Trento i manifesti, avvisi, indicazioni, segnalazioni, tabelle, cartelli, insegne, etichette, tariffe, orari e, in genere, tutte le scritte e leggende comunque rivolte o destinate al pubblico, sia in luogo pubblico che aperto al pubblico, anche se concernano interessi privati, devono essere redatte esclusivamente nella lingua ufficiale dello Stato» (decreto n. 800 del 29 marzo 1923, articolo 1).

«Le famiglie della provincia di Trento che portano un cognome originario italiano o latino tradotto in altre lingue o deformato con grafia straniera o con l'aggiunta di un suffisso straniero, riassumeranno il cognome originario nelle forme originarie. Saranno ugualmente ricondotti alla forma italiana i cognomi di origine toponomastica, derivanti da luoghi, i cui nomi erano stati tradotti in altra lingua, o deformati con grafia straniera, e altresì i predicati nobiliari tradotti o ridotti in forma straniera» (decreto n. 898 del 24 maggio 1926, art. 1).

«Prossimamente saranno emessi i decreti di restituzione d'ufficio dei cognomi disitalianizzati. Si prevede che tale restituzione darà cognome italiano a cinquantamila cittadini di Trieste» (decreto del 5 agosto 1926 per la Venezia Giulia).

Ancora più esplicito è un manifesto apparso nelle strade del comune di Dignano, in Friuli-Venezia Giulia:

P.N.F. - Comando Squadristi - Dignano

Attenzione!

Si proibisce nel modo più assoluto che nei ritrovi pubblici e per le strade di Dignano si canti o si parli in lingua slava.

Anche nei negozi di qualsiasi genere deve essere una buona volta adoperata

SOLO LA LINGUA ITALIANA

Noi Squadristi, con metodi persuasivi, faremo rispettare il presente ordine.

GLI SQUADRISTI

Infine, almeno un cenno a una singolare campagna promossa nel 1938 dal regime: quella contro l'uso del *lei*, che doveva essere sostituito dal *tu* o dal *voi*, a seconda del grado di confidenza con l'interlocutore. Il *lei* andava bandito perché considerato «femmineo» e «straniero» (in realtà la forma era italianissima, in uso fin dal Cinquecento, e derivava dall'abitudine di rivolgersi a una persona di riguardo, indicata con l'espressione *Vostra Signoria*, con la forma *lei* regolarmente concordata al femminile con *Signoria*). A farsi promotore della campagna contro l'uso del *lei* fu Achille Starace, segretario del Partito nazionale fascista (PNF) dal 1931 al 1939.

Nel 1939, a Torino, fu organizzata nella sede della Gioventù italiana del littorio, in piazza Bernini, la 'Mostra anti-*lei*', in cui vennero esposti manifesti, vignette, fotografie nelle quali si irrideva all'uso del *lei* e si celebrava l'uso del *voi*. La mostra, pubblicizzata sui giornali e sostenuta dalla Federazione fascista torinese, ebbe un grande successo, tanto che ne fu prolungata l'apertura. La campagna 'anti-*lei*' ebbe un apparente successo solo nel Sud, dove il *voi* era già la normale forma di cortesia. Al Centro e al Nord il *voi* veniva avvertito come dialettale e perciò era evitato e usato solo nelle occasioni ufficiali, nella stampa, nei libri di testo, nelle commedie e nel doppiaggio dei film, in cui era obbligatorio. Gli italiani del Nord continuarono, privatamente, a usare il *lei*, e molti, pur di non passare al *voi*, scelsero di darsi del *tu*. Qualcuno al Sud si oppose alla proibizione in modo del tutto personale: Benedetto Croce, che aveva sempre usato il *voi*, dopo l'imposizione di questa forma ripubblicò le proprie lettere sostituendo tutti i *voi* con altrettanti *lei*.

La campagna 'anti-*lei*' era stata avviata da un elzeviro di Bruno Cicognani, nella terza pagina del *Corriere della Sera* del 15 gennaio 1938. Il giornalista e scrittore fiorentino, allora molto noto e stimato, aveva etichettato il *lei* come pronome allocutivo «contorto e svirilizzato, ridicolo e stomachevole, contrario alla migliore tradizione letteraria italiana, alla sintassi corretta, alla dignità civile e allo spirito della razza». Cicognani proponeva al suo posto il *tu*, «espressione dell'universale cristiano e romano», o il *voi*, «segno di rispetto e di gerarchia», considerati invece pronomi tipici della lingua italiana. Il gerarca Achille Starace sposò in pieno la posizione di Cicognani e mosse contro l'inoffensivo pronome allocutivo una vera e propria guerra. Vietò fra gli iscritti del Partito nazionale fascista, a tutti i livelli, l'uso del *lei* e promosse il *tu* (con i pari grado) e il *voi* (con i superiori).

Le direttive di Starace venivano trasmesse attraverso i *Fogli di disposizioni*, periodico destinato alle segreterie locali del partito, emesso tra il dicembre 1931 e il luglio 1943. Nel 1938 Mussolini, nel già citato discorso al Consiglio nazionale del PNF, si compiacque di aver sferrato un altro piccolo cazzotto alla borghesia: l'abolizione del *lei*.

Le istruzioni per proibire il *lei* vennero date inizialmente agli iscritti alla Gioventù italiana del littorio e al Partito nazionale fascista; poi agli impiegati dello Stato attraverso varie circolari che vietavano il *lei* nella corrispondenza ufficiale; poi all'esercito, agli istituti scolastici, agli uffici privati.

A più di settant'anni dalla fine del fascismo ci si può chiedere che cosa sia rimasto del tentativo di politica linguistica orchestrato dal regime. Sopravvivono, nel ricordo degli italiani, slogan usati ormai solo in senso ironico e scherzoso (*Libro e moschetto fascista perfetto*; *Credere, obbedire, combattere*), titoli di canzoni d'epoca (*Faccetta nera; Ti saluto vado in Abissinia; Giovinezza*), nomi di luogo rimasti invariati delle 'città di fondazione' (*Albinia*, *Aprilia*, *Carbonia*, *Guidonia*, *Pomezia*, *Pontinia*, *Sabaudia* eccetera), mentre altre coniazioni latineggianti (*Apuania*, *Littoria*, *Mussolinia* eccetera), sostituite da tempo da altri nomi, sono state ormai quasi dimenticate.

Dell'immensa scenografia allestita resta ben poco, quasi nulla: l'alfabetizzazione degli italiani è rimasta a lungo un problema drammatico, da affrontare e risolvere nel dopoguerra; le parole straniere non sono certo state debellate dai decreti-legge (anzi il loro numero, e in particolare di quelle angloamericane, dalla fine della guerra in poi è cresciuto, come raccontiamo nell'ultimo capitolo); le minoranze linguistiche hanno reagito con insofferenza e tentativi di separatismo ai provvedimenti del regime; i dialetti continuano a essere usati come lingue degli affetti, delle tradizioni famigliari, della poesia, della canzone; il *lei* come pronome di cortesia è tornato al suo posto. Le espressioni mussoliniane che sopravvivono nella memoria degli italiani sono ormai pochissime: *i colli fatali*, *il colpo di spugna*, *il bagnasciuga*.

Dimostra grande vitalità, purtroppo, lo slogan *Me ne frego!* citato nel titolo di questo capitolo: nato dalla scritta che un soldato si fece apporre sulle bende insanguinate della ferita come segno di abnegazione nei confronti della patria, fu assunto come motto dagli Arditi durante la Prima guerra mondiale, poi adottato dai legionari fiumani di Gabriele D'Annunzio, e infine dalle camicie nere fasciste, retaggio di un passato che ci illudevamo fosse chiuso per sempre.

L'espressione *Me ne frego!*, tanto screditata da non poterne immaginare un riuso, continua a essere pronunciata, e non solo ironicamente o come citazione in contesti storici. Basta fare una ricerca in Rete e negli archivi dei quotidiani per trovarne numerosissime citazioni, tratte da dichiarazioni pubbliche e interviste di uomini politici con importanti incarichi istituzionali. Le parole dell'odio, del disprezzo, dell'arroganza vengono ora esibite e urlate senza vergogna, come se non fossero il portato di un passato da condannare.

14

L'italiano perfetto della Costituzione

La stessa lingua adoperata in modo spregiudicato e demagogico per manipolare le coscienze fu usata anche, dopo la fine del regime, per realizzare quella che Carlo Azeglio Ciampi ha definito «la Bibbia laica», ovvero la Costituzione della Repubblica italiana.

Per ripercorrerne la storia e ricostruirne gli aspetti linguistici, bisogna risalire a quando cinquecentocinquantasei deputati e deputate (ventuno donne in tutto) furono eletti a suffragio universale in Assemblea costituente, il 2 giugno 1946; il 25 giugno si tenne la seduta inaugurale. All'interno dell'Assemblea venne nominata una Commissione per la Costituzione, composta di settantacinque membri (nota come 'Commissione dei settantacinque'), incaricati di redigere il progetto generale della carta costituzionale: si trattava di dare all'Italia, dopo oltre vent'anni di dittatura fascista, una costituzione che regolasse la vita della Repubblica nata dal referendum del 2 giugno 1946. Il 31 gennaio 1947 la commissione ristretta aveva già preparato una prima stesura del testo.

Dal nostro punto di vista è particolarmente significativo che i membri della commissione avessero già previsto che il testo dovesse essere sottoposto a una revisione linguistica. L'Assemblea costituente, presieduta dal linguista e glottologo Umberto Terracini, iniziò l'esame del progetto il 4 marzo 1947 e lo concluse il 22 dicembre 1947: il testo definitivo fu approvato con 458 voti favorevoli, 62 contrari e nessun astenuto, su un totale di 520 votanti. La Costituzione venne promulgata il 27 dicembre 1947, ed entrò in vigore il 1° gennaio 1948.

Ma come erano arrivati, i padri e le madri costituenti, a elaborare un testo che doveva avere forza prescrittiva e regolativa, ma doveva anche essere compreso dai cittadini italiani? Tanto più che – i costituenti ne erano ben consapevoli – l'Italia era ancora un Paese scolasticamente sottosviluppato: il primo censimento dell'Italia repubblicana rivelò che oltre la metà della popolazione era priva della licenza elementare, e che più del 13 per cento era completamente analfabeta e non in grado di tracciare la propria firma.

Sappiamo, grazie a Tullio De Mauro, che il testo della Costituzione italiana conta 9.369 parole, che rappresentano forme ripetute, declinate o coniugate di 1.357 vocaboli. «Di questi, 1.002 appartengono al vocabolario di base italiano»: un insieme di circa settemila voci, un po' più ampio di quel vocabolario fondamentale di cui abbiamo detto alla fine del capitolo 5. De Mauro l'ha definito «il cuore storico della lingua», fatto delle parole più frequenti, comuni e comprensibili per i parlanti italiani. Naturalmente, quando si accinsero a scrivere il testo della Costituzione, i deputati non sapevano niente di questi calcoli, ma furono guidati, nelle loro scelte, da un criterio: quello della massima chiarezza e comprensibilità.

Il 4 marzo 1947 il giurista Pietro Calamandrei, che faceva parte della commissione per la Costituzione, aveva dichiarato in aula:

> Ora, vedete, colleghi, io credo che in questo nostro lavoro soprattutto ad una meta noi dobbiamo, in questo spirito di familiarità e di collaborazione, cercare di ispirarci e di avvicinarci [...]. Il nostro motto dovrebbe esser questo: 'chiarezza nella Costituzione'.

E aveva proseguito con parole che non ci possono lasciare indifferenti:

> Seduti su questi scranni non siamo stati noi, uomini effimeri di cui i nomi saranno cancellati e dimenticati, ma sia stato tutto un popolo di morti, di quei morti, che noi conosciamo ad uno ad uno, caduti nelle nostre file, nelle prigioni e sui patiboli, sui monti e nelle pianure, nelle steppe russe e nelle sabbie africane, nei mari e nei deserti [...]. Essi sono morti senza retorica, senza grandi frasi, con semplicità, come se si trattasse di un lavoro quotidiano da compiere: il grande lavoro che occorreva per restituire all'Italia libertà e dignità. Di questo lavoro si sono riservata la parte più dura e più difficile: quella di morire, di testimoniare con la resistenza e la morte la fede nella giustizia. A noi è rimasto un compito cento volte più agevole: quello di tradurre in leggi chiare, stabili e oneste il loro sogno: di una società più giusta e più umana, di una solidarietà di tutti gli uomini, alleati a debellare il dolore.

La chiarezza era dunque, per Calamandrei, il primo obiettivo: «chiarezza nella Costituzione». La chiarezza è richiamata anche nei tre punti formulati da lui e da Aldo Bozzi, Mario Cevolotto, Francesco Maria Dominedò, Amintore Fanfani e Tomaso Perassi:

1°) la Costituzione dovrà essere il più possibile semplice, chiara e tale che tutto il popolo la possa comprendere;
2°) il testo della Costituzione dovrà contenere nei suoi articoli disposizioni concrete, di carattere normativo e costituzionale;
3°) la Costituzione dovrà limitarsi a norme essenziali di rilievo costituzionale e di supremazia sopra tutte le altre norme, lasciando lo sviluppo delle disposizioni conseguenti a leggi che non richiedano, per la loro eventuale modificazione, il ricorso al processo di revisione costituzionale.

Per raggiungere questo obiettivo, sulla prima bozza fu chiesta la consulenza di un esperto di lettere, e la scelta cadde sul toscano Pietro Pancrazi, critico letterario, scrittore, curatore di grandi opere editoriali (ideatore e curatore, con Alfredo Schiaffini e Raffaele Mattioli, del progetto *La letteratura italiana. Storia e testi*, dell'editore Ricciardi). Gli interventi di Pancrazi furono solo formali, ed ebbero lo scopo di garantire la chiarezza e la correttezza grammaticale del testo. Per fare solo un esempio, l'articolo 1, che recitava: «L'Italia è Repubblica democratica», fu trasformato in: «L'Italia è una Repubblica democratica», con l'aggiunta dell'articolo indeterminativo *una*. Oppure, a proposito dell'articolo 13, comma terzo, invece di «prendere misure» si accolse la sostituzione «adottare provvedimenti». O ancora, nell'articolo 34, si accolse il cambiamento proposto da Pancrazi: da «La Repubblica assicura l'esercizio di questo diritto» a un più preciso «rende effettivo questo diritto». Gli interventi di Pancrazi furono in genere accettati e condivisi, ma in qualche caso incontrarono un netto rifiuto da parte dei costituenti. È il caso, per esempio, dell'articolo 3, nel quale Pancrazi aveva proposto di sostituire la parola *compito* con la parola *ufficio*:

> È compito della Repubblica rimuovere gli ostacoli di ordine economico e sociale, che, limitando di fatto la libertà e l'eguaglianza dei cittadini, impediscono il pieno sviluppo della persona umana.

Tale rifiuto rivela l'attenzione dei membri della commissione ristretta nei confronti della leggibilità del testo: ogni parola veniva vagliata e soppesata. Il termine *ufficio* usato nel significato di «compito», «dovere», «obbligo», risultava certamente più raro, aulico e lontano dal parlato, per un cittadino comune, rispetto a *compito*.

Pancrazi si soffermava anche su particolari che oggi potrebbero apparire privi d'importanza, e che invece avevano un senso non solo estetico. Ne rimane traccia nella bozza del suo progetto:

> In tutta la Costituzione l'uso delle maiuscole è irregolare. Proporrei uniformarlo, riducendo l'uso della maiuscola allo stretto necessario. L'abuso delle maiuscole fu una caratteristica dello 'stile' fascista.

Torna alla mente, leggendo queste osservazioni, la battaglia contro le maiuscole condotta da un altro padre costituente, l'economista e futuro presidente della Repubblica Luigi Einaudi, che in una lettera scritta a Ernesto Rossi (autore, con Altiero Spinelli ed Eugenio Colorni, del *Manifesto di Ventotene*), il 13 ottobre 1944 aveva scritto:

> A parer mio le maiuscole si devono usare esclusivamente per i nomi di luoghi e di persone fisiche e giuridiche [...]. Le maiuscole sono bruttissime a vedere.

E il 29 ottobre dello stesso anno la sua insofferenza era diventata «ribrezzo»:

> Le maiuscole guastano l'estetica della pagina. I tedeschi hanno eretto l'uso delle maiuscole a regola assoluta di ortografia; ma in italiano una pagina di stampa con maiuscole inutili è un pugno negli occhi [...]. Provi a guardare pagine a stampa con questa preoccupazione e vedrà se dopo qualche tempo le maiuscole non le faranno ribrezzo.

L'insofferenza e il «ribrezzo» per le maiuscole, condivisi da Pancrazi ed Einaudi, rivelano il loro fastidio per un carattere grafico che durante il fascismo aveva visto il proprio trionfo, nell'enfasi delle scritte, degli slogan, dei motti di regime disseminati ovunque.

La versione finale del testo fu poi sottoposta a una commissione composta, oltre che dallo stesso Pancrazi, dal latinista Concetto Marchesi e dal saggista e scrittore Antonio Baldini. Ma il lavoro di Pancrazi e della commissione va ricordato anche per altre scelte. Luigi Spagnolo ha confrontato le cinque versioni della carta costituzionale: il progetto; il testo emendato in assemblea; quello distribuito ai deputati dopo la revisione dei diciotto; la versione sottoposta al coordinamento finale dopo la votazione del 22 dicembre e l'originale firmato dal capo provvisorio dello Stato il 27 dicembre. Grazie al suo accuratissimo esame possiamo verificare cambiamenti significativi, tutti nella direzione della semplicità. Tra questi, l'eliminazione del presente indicativo *debbono*, sostituito da *devono*; la preferenza per il passato prossimo in luogo del passato remoto; l'eliminazione dei burocratici *predetto*, *suddetto, effettuare*, dell'aggettivo *previo*; l'uso di una punteggiatura coerente e uniforme.

Per quanto riguarda il lessico della Costituzione, può essere utile rievocare, sulla base delle testimonianze conservate, che cosa successe quando si dovette scrivere l'articolo 11. La scelta del verbo da usare fu oggetto di discussioni e dibattiti, e alla fine si optò per *ripudiare*:

> L'Italia ripudia la guerra come strumento di offesa alla libertà degli altri popoli e come mezzo di risoluzione delle controversie internazionali.

Presidente della commissione dei settantacinqe incaricata di redigere il testo costituzionale era Meuccio Ruini: il suo parere, espresso con passione quando presentò ai costituenti il testo definitivo, li convinse a optare per la scelta del verbo 'più forte':

> Si tratta anzitutto di scegliere fra alcuni verbi: *rinunzia*, *ripudia*, *condanna*, che si affacciano nei vari emendamenti.

> La Commissione, ha ritenuto che, mentre 'condanna' ha un valore etico più che politico-giuridico, e 'rinunzia' presuppone, in certo modo la rinunzia ad un bene, ad un diritto, il diritto della guerra (che vogliamo appunto contestare), la parola 'ripudia', se può apparire per alcuni richiami non pienamente felice, ha un significato intermedio, ha un accento energico ed implica così la condanna come la rinuncia alla guerra.

Fu sempre Ruini, quando si trattò di approvare la formula «attentato alla Costituzione», a spiegare che *violazione* sembrava:

> troppo poco; si pensò di mettere violazione 'grave' o 'dolosa'; ma si trovò che anche questa non era soddisfacente, e si incaricò il Comitato di trovare una migliore formulazione. Esaminati tutti i lati della questione, noi riteniamo di ricorrere all'«attentato alla Costituzione», che era nello statuto italiano, ed in tante altre Carte. Il consenso, nell'adunanza dei capigruppo, e qui dell'Assemblea, è pieno, e senza obiezioni.

Tullio De Mauro ha calcolato che nella carta costituzionale «soltanto 355 lemmi su 1.357 sono estranei al vocabolario di base, e che in percentuale questo lessico è dato per il 74 per cento dal vocabolario di base e per il 26 per cento dal vocabolario non di base»: una percentuale altissima, dunque, di vocabolario di base rispetto alle consuetudini del *corpus* legislativo. Scelte coraggiose, e secondo De Mauro «inusuali nelle leggi, ma non comuni in genere nell'intera produzione intellettuale italiana, malata nel vocabolario di quel malanno che Antonio Gramsci chiamava 'neolalismo' [compiacimento per l'ermetismo lessicale] e nel periodare sedotta dalle frasi lunghe e complicate».

Colpisce, in particolare, che tra quelle trecentocinquantacinque parole siano pochi i tecnicismi giuridici e amministrativi. I costituenti riuscirono così a scrivere un testo caratterizzato da una grande trasparenza lessicale. Quando presentò il testo definitivo dopo la revisione, il già citato Meuccio Ruini disse:

> La revisione stilistica si è ispirata ad intenti di correttezza linguistica, di semplificazione – desiderabilissima in un testo costituzionale – e di chiarificazione dei concetti che hanno determinata l'adozione delle formule della Costituzione. Abbiamo sentito il parere di alcuni eminenti scrittori e letterati; poi abbiamo cercato di avvicinarci, per quanto era possibile, ad una certa omogeneità di espressione e di stile. Vi ho atteso personalmente e ne assumo la responsabilità. I colleghi del Comitato han riesaminato pazientemente, parola per parola, il testo. Un miglioramento senza dubbio vi è; sono lieto che ciò sia generalmente riconosciuto, come mi han detto deputati di ogni parte dell'Assemblea. Ma non è possibile raggiungere – nonché la perfezione – una soddisfazione piena. Vi è una inevitabile incontentabilità; ciascuno ha una forma, un modo di esprimersi proprio, e non può rinunciarvi. Ed è capitato a un grandissimo, il Manzoni, che avendo svolto un tema per un suo nipote, ebbe dal professore una votazione meschina. Una Costituzione non deve essere un capolavoro letterario; ci basta che il testo che vi presentiamo sia più chiaro, più fluido, e migliore di prima.

Gli fece eco il collega Gustavo Ghidini nella seduta dell'8 marzo 1947:

> Gli uomini di legge hanno fra le mani una bilancia per pesare le parole, una bilancia la quale ha una sensibilità che è ancora maggiore di quella dell'orafo. L'articolo 31 dice che la Repubblica riconosce a tutti i cittadini il diritto al lavoro. Non dice nemmeno «assicura», nemmeno «garantisce». La parola «riconosce» è stata il frutto di una lunga ed elaborata discussione svoltasi dinanzi alla Commissione [...]. Badate a quest'ultima parte dell'articolo, colla quale si volle significare che l'obbligo dello Stato è di promuovere le condizioni per rendere effettivo il diritto al lavoro.

Con quella bilancia i costituenti pesarono le parole di un articolo particolarmente importante: l'articolo 34, secondo il quale, nella redazione definitiva, «La scuola è aperta a tutti», in cui *aperta a tutti* aveva sostituito un precedente *aperta al popolo*, di sapore più classista.

Nonostante il tempo passato, il testo della Costituzione è tuttora valido come modello linguistico: per questo abbiamo definito con una certa enfasi 'perfetto' l'italiano in cui è stato scritto. Un italiano che, per le caratteristiche di limpidità, scorrevolezza e chiarezza può ancora costituire un valido esempio di imitazione. Tanto più utile in anni in cui i testi giuridici sono spesso incomprensibili per i non addetti al mestiere.

Luca Serianni, nel ricordare che questi testi sono spesso criticati per essere inutilmente oscuri e impervi per il profano, ha osservato che:

le fonti normative di rango più alto, a partire dalla Costituzione, con la sua lingua limpida e piana, si possono considerare ottimi modelli di lingua. Via via che scende più in basso (decreti-legge, spesso redatti frettolosamente, fino alle circolari amministrative) le acque si intorbidano e le ironie possono essere giustificate. Fa la differenza, poi, la platea dei destinatari: l'intera comunità dei cittadini, come nel caso della Costituzione, e un pubblico più ridotto per i codici civile e penale; un pubblico ancora più ridotto ma generico, spesso culturalmente poco attrezzato, nel caso di avvisi che incidono nella vita di tutti i giorni [...]; un pubblico specialistico per molti altri testi, come, nel processo civile, la comparsa, l'atto scritto nel quale la parte, perlopiù tramite il suo procuratore, si rivolge al giudice, instaurando una relazione tra tecnici del diritto.

Nel 1955 Piero Calamandrei, nel discorso inaugurale di un ciclo di sette conferenze sulla Costituzione italiana organizzato a Milano da un gruppo di studenti universitari, pronunciò queste parole nel Salone degli Affreschi della Società umanitaria:

In questa Costituzione c'è dentro tutta la nostra storia, tutto il nostro passato, tutti i nostri dolori, tutte le nostre sciagure, le nostre glorie. Sono tutti sfociati qui in questi articoli e, a sapere intendere, dietro questi articoli ci si sentono delle voci lontane... E quando io leggo nell'articolo 2: «l'adempimento dei doveri inderogabili di solidarietà politica, economica e sociale»; o quando leggo nell'articolo 11: «L'Italia ripudia la guerra come strumento di offesa alla libertà degli altri popoli», la patria italiana in mezzo alle altre patrie [...] ma questo è Mazzini! Questa è la voce di Mazzini! O quando io leggo nell'articolo 8: «tutte le confessioni religiose sono egualmente libere davanti alla legge», ma questo è Cavour! O quando io leggo nell'articolo 5: «la Repubblica, una e indivisibile, riconosce e promuove le autonomie locali», ma questo è Cattaneo!; o quando nell'articolo 53 io leggo a proposito delle forze armate: «l'ordinamento delle forze armate si informa allo spirito democratico della Repubblica», esercito di popolo; ma questo è Garibaldi! E quando leggo nell'articolo 27: «non è ammessa la pena di morte», ma questo, o studenti milanesi, è Beccaria! Grandi voci lontane, grandi nomi lontani [...] Ma ci sono anche umili voci, voci recenti! Quanto sangue, quanto dolore per arrivare a questa Costituzione! Dietro ad ogni articolo di questa Costituzione, o giovani, voi dovete vedere giovani come voi caduti combattendo, fucilati, impiccati, torturati, morti di fame nei campi di concentramento, morti in Russia, morti in Africa, morti per le strade di Milano, per le strade di Firenze, che hanno dato la vita perché la libertà e la giustizia potessero essere scritte su questa carta [...]. Se voi volete andare in pellegrinaggio nel luogo dove è nata la nostra Costituzione, andate nelle montagne dove caddero i partigiani, nelle carceri dove furono imprigionati, nei campi dove furono impiccati, dovunque è morto un italiano per riscattare la libertà e la dignità, andate lì o giovani, col pensiero, perché lì è nata la nostra Costituzione.

A raccogliere il testimone dopo le parole appassionate di Calamandrei fu, quasi sessant'anni dopo, Roberto Benigni, che in un programma televisivo di Rai1 andato in onda in diretta dal Teatro 5 di Cinecittà spiegò i princìpi fondamentali della nostra Costituzione leggendo ciascun articolo e commentandolo.

Il programma era intitolato *La più bella del mondo*. Come diremo tra poco, il pericolo per la lingua italiana è rappresentato dal rischio di una sua degradazione a strumento comunicativo barbaro, rozzo e violento. A difenderci da questo rischio resta il modello linguistico della nostra «Bibbia laica», con il suo modello di italiano che abbiamo definito 'perfetto', perché chiaro e comprensibile, oggi, per tutti gli italiani.

15

Il presente e il futuro dell'italiano. Dove sta andando la nostra lingua?

Ogni pagina di questo libro documenta che l'italiano è cambiato nel corso del tempo. Certo, il suo 'zoccolo duro' è il fiorentino letterario del Trecento, ma le differenze rispetto al passato non mancano. La diversità nel tempo, peraltro, si accompagna ad altre diversità.

Oggi non esiste un solo italiano; ne esistono molti, diversi a seconda dello spazio (i dialetti influenzano la pronuncia, l'intonazione e in qualche caso anche la grammatica e il lessico di chi parla o scrive in italiano), dell'argomento, della situazione, dello scopo per cui sono usati e soprattutto del mezzo che li propaga (gli italiani parlati sono diversi da quelli scritti, e questi a loro volta sono diversi dagli italiani trasmessi dai mezzi di comunicazione di massa e da quelli veicolati dalla Rete).

In tutte queste varietà di lingua si registrano non pochi elementi di diversità rispetto all'italiano cosiddetto 'standard', cioè all'italiano modello tradizionalmente descritto nelle grammatiche e insegnato nella scuola.

Ebbene, molti di questi elementi di diversità non sono

errori: o esistono da che italiano è italiano o sono il risultato di una trasformazione che ha fatto breccia nell'uso.

Nel primo caso, non c'è motivo per considerarli errori: sono stati giudicati tali dai grammatici del passato perché non erano stati adoperati da almeno una delle Tre Corone, ma l'italiano non può identificarsi completamente con la lingua di Dante, Petrarca e Boccaccio; Manzoni (e non solo lui) ci ha dimostrato che la nostra lingua è anche altro.

Se questi elementi di diversità sono invece il risultato di una trasformazione accolta nell'uso, di nuovo non c'è motivo per considerarli errori: i veri padroni di una lingua non sono i grammatici, ma i membri della comunità che la usa.

Quali sono questi tratti in movimento? Nelle pagine che seguono ne esamineremo alcuni, a puro titolo d'esempio.

Un primo tratto consiste nell'accoglimento dell'uso di *lui*, di *lei* e di *loro* come pronomi soggetto di terza persona singolare e plurale a scapito di *egli*, *ella* ed *essi*, *esse*. Le prime tre forme di pronomi soggetto, sconosciute a Dante, a Petrarca e a Boccaccio, sono entrate nell'uso dal Quattrocento in poi; ma i grammatici fedeli al modello delle Tre Corone le hanno sempre condannate. Così, si è determinata una vistosa frattura fra la norma grammaticale e l'uso vero della lingua. Il primo che tentò di sanare questa frattura fu Alessandro Manzoni: nel passaggio dall'edizione 1827 all'edizione 1840-1842 dei *Promessi sposi* eliminò quasi completamente le forme *egli*, *ella*, *essi*, *esse* (e anche altre due forme antiche equivalenti a *essi* e a *esse*: *eglino* ed *elleno*), sostituendole con *lui*, *lei* e *loro*. L'uso di Manzoni è stato accettato nella scuola solo in tempi recenti, e ancora oggi qualche insegnante lo tollera poco, benché non sia affatto un errore.

Un secondo elemento di discordanza fra la norma e l'uso dell'italiano riguarda il sistema dei cosiddetti 'dimostrativi'. Fino a una trentina di anni fa in qualunque grammatica italiana si poteva leggere che i più importanti aggettivi e pronomi dimostrativi sono tre: *questo*, *codesto* e *quello*. In realtà non era e non è così: la distinzione fra *questo*, *codesto* e *quello* è sempre esistita e continua a esistere solo in Toscana, dove effettivamente si usa *questo* per indicare qualcuno o qualcosa vicino a chi parla, *codesto* per indicare qualcuno o qualcosa lontano da chi parla e vicino a chi ascolta, *quello* per indicare qualcuno o qualcosa lontano sia da chi parla sia da chi ascolta. Nel resto d'Italia si usano soltanto *questo* (per indicare qualcuno o qualcosa vicino a chi parla o scrive) e *quello* (per indicare qualcuno o qualcosa lontano da chi parla o scrive). Oltre che in Toscana, *codesto* si adopera anche nell'italiano burocratico: se si invia una lettera a un ufficio qualsiasi, quando la lettera arriverà al destinatario chi l'ha scritta sarà lontano, mentre chi la legge sarà in quell'ufficio. Per questo c'è l'abitudine di scrivere: «Ci si rivolge a *codesto* Ufficio...» indicando, con ciò, che l'ufficio è lontano da chi scrive e vicino a chi legge. Ma l'italiano burocratico non è certo un laboratorio di novità linguistiche: al contrario, è un vero ricettacolo di anticaglie.

Un terzo tratto in movimento nell'italiano contemporaneo consiste nell'uso del presente al posto del futuro in frasi del tipo: «Domani *prenotiamo* l'albergo», «Fra un mese *vado* in vacanza», «L'anno prossimo *mi iscrivo* in palestra». Bisogna dire e scrivere sempre e soltanto: «Domani *prenoteremo* l'albergo», «Fra un mese *andrò* in vacanza», «L'anno prossimo *mi iscriverò* in palestra», dicono i sostenitori della purezza della lingua. Niente affatto. In casi del genere, l'uso del presente al posto del futuro è del tutto accettabile: negli esempi che abbiamo riportato, e in tutti gli altri che potremmo aggiungere, la collocazione dei fatti nel futuro è affidata non al tempo verbale, ma alla parola o all'espressione di tempo (*domani*, *fra un mese*, *l'anno prossimo*) che lo accompagna. Inoltre, l'uso del presente al posto del futuro è radicato nella storia dell'italiano letterario e non letterario, antico e meno antico: «Pensa che questo dì mai non *raggiorna*!». Cioè: «Pensa che questo giorno non *ritorna* [ritornerà] mai più», dice Virgilio a Dante nel XII canto del *Purgatorio*. «Pure non è rotto nulla, et *aspetto* domani da voi qualche consiglio sopra questi mia casi [su questi miei affari]», scrive Niccolò Machiavelli per lettera all'amico Francesco Guicciardini. «Domani *si decide* dell'esser mio», si lamenta preoccupata la bella Rosaura nella commedia *L'avvocato veneziano* di Carlo Goldoni. È superfluo aggiungere che potremmo trarre molti altri esempi da scrittori più vicini a noi, da Ugo Foscolo ad Alessandro Manzoni, da Ippolito Nievo a Giovanni Verga, da Mario Tobino a Giorgio Bassani, via via fino ai narratori contemporanei.

Un quarto tratto in movimento è dato dalla progressiva riduzione dell'uso del passato remoto, che viene sempre più spesso sostituito dal passato prossimo. Nell'Italia settentrionale e in parte di quella centrale i parlanti, anche quelli più colti, tendono a non adoperare mai il passato remoto, e a dire: «Stamattina *sono andato* dall'ortopedico» e «Un anno fa *sono andato* dall'ortopedico». Il passato remoto resiste soltanto in alcune zone dell'Italia meridionale, in particolare nella Calabria meridionale e in Sicilia, dove c'è chi preferisce dire: «Questa mattina *andai* dall'ortopedico» e «Un anno fa *andai* dall'ortopedico».

Il passato remoto è meno usato non solo nella lingua parlata ma anche in certe forme di lingua scritta, per esempio in quella dei giornali. Alle tante ricerche che già documentano questo dato vogliamo aggiungere la nostra, circoscritta ma significativa, che abbiamo fatto proprio per questo libro. Abbiamo preso ed esaminato, dall'archivio on line del quotidiano *la Repubblica*, sette 'coccodrilli', cioè sette biografie pubblicate dal giornale in occasione della morte di altrettanti personaggi famosi: Maria José di Savoia (28 gennaio 2001), Marco Pantani (15 febbraio 2004), Michelangelo Antonioni (31 luglio 2007), Suso Cecchi D'Amico (31 luglio 2010), Enzo Jannacci (29 marzo 2013), Bud Spencer (26 giugno 2016), Franco Zeffirelli (15 giugno 2019). Fra un coccodrillo e l'altro c'è una distanza di circa tre anni. Ebbene, a mano a mano che si va avanti nel tempo, nel racconto della vita di ciascuno di questi personaggi l'uso dei tempi verbali cambia: mentre nei primi coccodrilli le vicende che hanno scandito la loro esistenza sono raccontate usando esclusivamente il passato remoto, in quelli che vengono dopo quelle stesse vicende sono raccontate anche attraverso il passato prossimo o il presente storico, che in qualche caso si alternano con il passato remoto. Riportiamo quattro brani tratti dai coccodrilli di Maria José, Pantani, Jannacci e Zeffirelli, nei quali evidenziamo in corsivo i tempi verbali:

> La figlia del Re dei belgi *visse* nella corte d'Italia come una clandestina. Chi la incontrava durante quei sedici anni di vigilia, era costretto talvolta a reprimerne l'impazien-

za, a raccomandarle cautela. Aveva appena venticinque anni quando, alla fine del 1931, *incontrò* su sua richiesta Benedetto Croce, l'oppositore supremo del regime allora vigente. Luogo del convegno, gli scavi di Pompei. Il filosofo – l'avrebbe raccontato più tardi lui stesso – *fu* quasi *costretto* a mascherarsi. Un amico archeologo, che conduceva delle ricerche sul posto, *introdusse* sotto il braccio di Croce «un gran rotolo di disegni, quasi fossi un ingegnere suo aiutante». Maria José voleva sapere dal suo interlocutore quale fosse «la condizione degli animi in Italia», e *ottenne*, data la fonte, risposte non troppo rassicuranti. Nell'aprile del '43, quando la principessa *rivide* Croce, i discorsi *assunsero* un tono più concreto: come «scacciare Mussolini e farla finita col fascismo».

È stato un campione grandissimo, anche se il sospetto del doping *ha rovinato* non solo lui ma il ricordo che di lui noi abbiamo. *Dominò* Giro e Tour nel 1998, primo italiano dopo Fausto Coppi. Tra il Pirata e il Campionissimo ci *riuscirono* soltanto Anquetil, Merckx, Hinault, Roche, Indurain: ossia la storia del ciclismo, una galleria di grandissimi fuoriclasse. Forse Marco *fu stordito* da questo trionfo epocale. Qualcosa in lui *cambiò*. *Se ne accorsero* per primi i vecchi amici del garage Renault che avevano fondato il club del 'mitico Pantani'. *Cominciò* a frequentare 'brutte compagnie', usciva la sera e rientrava all'alba. Sfasciava automobili di gran lusso per bravate da bullo di periferia. *Mutò* pelle e carattere: meno affabile, più immusonito, più superbo. Simpatico a rate. Che cosa lo stava tormentando?

Jannacci *è stato* un cantautore, cabarettista, attore e cardiologo italiano. Cinquant'anni di carriera senza schemi fissi, oltre confini. Dopo aver registrato quasi trenta album, alcuni dei quali indimenticabili, è ricordato come uno dei pionieri del rock and roll italiano, insieme a Celentano, Tenco, Little Tony e Gaber, con il quale *formò* un sodalizio durato più di quarant'anni. Basta dire Gaber e Jannacci per evocare una Milano che non c'è più, quella della nebbia, già grande città ma non ancora metropoli, una Milano romantica, popolata di personaggi bizzarri e poetici. Di madre pugliese e padre lombardo, Jannacci la sua Milano l'*ha* sempre *portata* addosso. Come Gaber, che aveva conosciuto a scuola, all'Istituto classico Alessandro Manzoni. Alla sua morte, il dottore cantautore *riuscì* a dire soltanto: «Ho perso un fratello». Il 19 dicembre 2011 Fabio Fazio *conduce* uno speciale su di lui in cui amici di lungo corso del musicista milanese, presente in studio col figlio Paolo, lo *omaggiano* interpretando suoi brani.

Vero outsider nel panorama dei registi italiani, Franco Zeffirelli *ha attraversato* più di sessant'anni di storia dello spettacolo in Italia spaziando tra cinema, teatro e opera lirica esordendo come attore, proseguendo come costumista e scenografo (sotto la guida di Luchino Visconti) e diventando un cineasta amato forse più all'estero che in Italia [...]. Tra i pochissimi autori maturati negli anni Cinquanta a non avere una formazione politica di sinistra, *è stato eletto* senatore nelle fila di Forza Italia nel 1994. Le opere liriche con la sua regia *sono state rappresentate* in tutto il mondo, dall'Oman agli Stati Uniti, soltanto il Metropolitan di New York *ha messo* in scena ottocento suoi spettacoli. Fiorentino di origine, *ha avuto* con la sua città un rapporto di amore e odio, negli anni dell'alluvione *coinvolse* Richard Burton per un documentario che *raccolse* venti milioni di dollari per la città distrutta, poi per anni però *ha rifiutato* il Fiorino (in polemica con la mancata attribuzione a Oriana Fallaci) finché a tradimento gli *è stato consegnato* nel 2013 dall'allora sindaco Renzi.

Nato a Firenze il 12 febbraio 1923, il bambino Gianfranco Corsi Zeffirelli *perse* subito il padre, che non lo *riconobbe*, e la madre, che *morì*, quando aveva solo sei anni. Allevato da una coppia che lui chiamava zii ma che in realtà erano cugini del padre, il giovanissimo Franco *ebbe* una figura paterna nel suo istitutore, Giorgio La Pira, futuro padre della Costituente e amatissimo sindaco di Firenze negli anni Cinquanta. Dopo un periodo in un istituto, Zeffirelli *frequentò* l'Istituto delle Belle Arti fino a debuttare a teatro per Luchino Visconti.

Un quinto tratto in movimento nell'italiano contemporaneo riguarda l'uso dell'imperfetto indicativo al posto del congiuntivo trapassato e del condizionale passato nel cosiddetto 'periodo ipotetico dell'irrealtà nel passato'. Lasciando da parte la terminologia grammaticale e venendo al sodo, diciamo che nella lingua attuale una formula come «Se me lo avessi detto, sarei venuto prima» tende a essere sostituita da «Se me lo dicevi, venivo prima» (o anche da «Se me lo avessi detto, venivo prima» e «Se me lo dicevi, sarei venuto prima»). Il senso linguistico comune considera sempre sbagliate tutte e tre queste frasi con l'imperfetto indicativo. In realtà, nell'italiano parlato e anche nell'italiano scritto di livello informale non lo sono affatto; sono sconsigliabili soltanto nell'italiano scritto di livello formale. Anche in questo caso, se ne hanno esempi in testi che attraversano tutta la storia della nostra lingua. Nell'*Orlando furioso* gli esempi con l'imperfetto indicativo sono addirittura più numerosi di quelli col congiuntivo e col condizionale. Eccone uno, preso a caso tra gli oltre trenta disponibili, tratto dal XVI canto:

> e se non era doppio e fin l'arnese
> feria la coscia ove cadendo scese.

> 'e se lo scudo non fosse stato
> contemporaneamente spesso
> e maneggevole, la freccia avrebbe
> ferito la coscia dove scese cadendo'.

Perfino Pietro Bembo, il padre padrone della grammatica italiana, in alcune sue lettere usò la forma col *se* e l'imperfetto indicativo (*Se* me lo *dicevi*...) al posto di quella col *se* e il congiuntivo (*Se* me lo *avessi detto*...). E se l'ha usata lui...

Siamo così entrati nel cuore di un altro punto critico dell'italiano contemporaneo, ovvero la sostituzione del congiuntivo con l'indicativo nelle frasi aperte dalla parola *che*: il tipo «Penso che *hai* ragione» al posto del tipo «Penso che tu *abbia* ragione». Questa sostituzione, che pure è frequente, è parecchio sopravvalutata dal senso linguistico comune. Moltissime persone pensano che il congiuntivo sia addirittura 'morto', ormai definitivamente soppiantato dall'indicativo. Non è così. Certamente nell'italiano contemporaneo il congiuntivo tende a essere sostituito dall'indicativo, ma il fenomeno non è così dilagante.

A questo punto, però, è d'obbligo chiedersi: se il congiuntivo non è morto, e se gli errori relativi al suo uso sono meno frequenti di quanto si sia portati a pensare, perché molti sono convinti che questo modo verbale sia ormai in dismissione? Perché le persone linguisticamente ben educate e attente all'uso corretto dell'italiano non fanno caso ai tanti congiuntivi adoperati nel modo giusto, mentre restano impressionate negativamente anche da un solo congiuntivo sbagliato, soprattutto se a sbagliarlo è, come capita spesso, un personaggio pubblico. Un congiuntivo mancato fa rumore; produce, nelle orecchie delle persone attente alla lingua, lo stesso effetto sgradevole del gesso che scricchiola sulla lavagna. Ma come il gesso non scricchiola spesso, così il congiuntivo non scricchiola sotto il peso dell'indicativo, che per molti ne minaccerebbe la sopravvivenza.

Anche dalle brevi considerazioni fatte a commento di questi tratti in movimento (ne abbiamo descritti solo sei; in realtà sono di più) dovrebbe risultare chiaro che non siamo preoccupati per lo stato di salute dell'italiano. L'italiano, in sé, sta benissimo: il sistema che lo sorregge tiene perfettamente, e i cambiamenti in atto sono un segno di vitalità. Eppure molti, guardando in particolare agli errori presenti nella scrittura in Rete o a quelli che si sentono in televisione, sono convinti che l'italiano versi in uno stato comatoso.

Nel merito Massimo Palermo, uno studioso molto impegnato sul fronte dell'insegnamento della nostra lingua nella scuola e nell'università, si è giustamente chiesto: «Cosa sarebbe successo se cinquant'anni fa qualcuno fosse andato munito di registratore a raccogliere le chiacchiere nei bar e nelle piazze italiane?». La risposta è semplice: avrebbe registrato una situazione sociolinguistica molto peggiore di quella attuale, se non altro perché oggi, rispetto ad allora, è fortemente aumentato il numero di persone che parlano, scrivono, comunicano in italiano, e questa conquista sociale val bene qualche errore di ortografia in più e qualche congiuntivo in meno, fermo restando che l'obiettivo a cui puntare è quello della condivisione di una lingua corretta, che consenta a ciascuno di soddisfare i propri bisogni comunicativi.

Il pericolo, per l'italiano, non è nel suo decadimento ortografico, grammaticale o sintattico, e neppure nel suo essere esposto al diluvio di parole ed espressioni provenienti dall'inglese. Nel merito, bisogna distinguere: che nella nostra lingua entrino parole delle scienze e della tecnologia come *chip*, *hardware* (elettronica), *top down*, *bottom up* (informatica), *bypass*, *pace-maker* (medicina) è normale. Che vi entrino termini accolti solo per affettare la conoscenza di un inglese frivolo e banale come *biker*, *city car*, *lifestyle*, *location*, *to-do-list* è stupido e provinciale. Ed è ingannevole che vi entrino, per una specie di 'anglocosmesi', termini accolti per manifestare efficientismo o per rendere oscuro, col *latinorum* del nuovo millennio, il linguaggio della pubblica amministrazione, che al contrario dovrebbe essere chiaro.

A ogni modo, questi incidenti dell'intelligenza e queste pratiche fraudolente non potranno mai intaccare l'identità di una lingua importante per la cultura e per la storia del mondo come l'italiano.

Il pericolo, per la nostra lingua, è altrove.

In primo luogo, è nel tentativo ricorrente di limitarne l'insegnamento nella scuola e di mortificarne l'uso nell'università istituendo interi corsi di laurea in lingua inglese. L'indispensabile estensione del dominio dell'inglese e anche di altre lingue da parte degli studenti italiani (compresi i nuovi studenti italiani, figli di uomini e donne che hanno raggiunto il nostro Paese da zone svantaggiate del mondo) non può e non deve avvenire a scapito dell'italiano, ma insieme all'italiano.

«Che cosa accadrebbe», si è chiesto Luca Serianni, accademico dei Lincei, «se, poniamo, di chimica o di matematica si parlasse sempre e solo in inglese, dagli anni della scuola fino a quelli universitari? Non ci sarebbero più parole italiane per indicare le derivate o i solfati. La lingua rinuncerebbe a interi territori del sapere, sarebbe ridotta a un àmbito privato, familiare».

E invece, avverte Claudio Marazzini, presidente dell'Accademia della Crusca, «l'Italia e gli italiani hanno un disperato bisogno che la scienza continui a parlare in italiano, continui cioè a dialogare con la propria nazione insegnando un linguaggio razionale che sa soppesare il valore di idee e sa confrontarsi con i fatti».

In secondo luogo, il pericolo per l'italiano è nella sua degradazione a strumento comunicativo barbaro, rozzo, violento. Cosa dire di un direttore di quotidiani che dichiara: «[...] perché voi ebrei non bevete lo champagne? Bevetelo, 'sto champagne, così sareste un po' più allegri e non rompereste i coglioni con la Shoah» (Vittorio Feltri a *La zanzara*, Radio 24, 14 febbraio 2019). Purtroppo esempi nefasti di questo tipo non sono più un'eccezione, stanno diventando la regola.

Ai nuovi barbari diciamo che l'italiano è la lingua di Leonardo, Ariosto, Michelangelo, Raffaello, Machiavelli. Chi lo degrada al rango di lingua violenta, rozza, derisoria e irrisoria (a titolo gratuito e non per un intento artistico, che ovviamente è sempre lecito) è equiparabile a un vandalo che sfregia un'opera d'arte.

Per fortuna la storia insegna che, mentre il vandalismo è ricorrente, l'arte è immortale: tale è e resterà la nostra lingua italiana, apprezzata e studiata in ogni angolo del mondo in cui si senta il bisogno di essere umanisti e di restare umani.

Riferimenti bibliografici

Riferimenti bibliografici

Ciò che avete appena letto è il resoconto di un viaggio attraverso la nostra lingua, alla fine del quale abbiamo messo insieme le impressioni suscitate dalla lettura di alcuni testi antichi e moderni e le informazioni ricavate da chi questi testi li ha letti e studiati prima di noi. È quello che fanno tutti gli studiosi impegnati a ricomporre frammenti del passato e del presente degli uomini, di ciò che pensano e di ciò che creano.

Nelle prossime pagine diamo conto dei testi che abbiamo letto e citato e degli studi da cui abbiamo ricavato ciò che abbiamo scritto. Quelli che abbiamo usato in più capitoli sono riportati soltanto una volta, corrispondente al primo argomento per cui li abbiamo studiati.

Capitoli 1-3

TESTI

Appendix Probi (GL IV. 193-204), edizione critica a cura di Stefano Asperti e Marina Passalacqua, Edizioni del Galluzzo, Firenze 2014.

Gaio Valerio Catullo, *Le poesie*, a cura di Alessandro Fo, Einaudi, Torino 2018.

Marco Tullio Cicerone, *Epistole*, IV e V, *Ad familiares*, a cura di Giovanna Garbarino e Raffaella Tabacco, UTET, Torino 2008. La lettera citata è la n. 21 del libro IX nel vol. II.

Petronii Arbitri, *Satyricon reliquiae*, a cura di Konrad Mueller, Teubner, Stoccarda-Lipsia 1995[4].

TESTI E STUDI

Marco Mancini, *Latina antiquissima II: ancora sulla coppa del Garigliano*, in Vincenzo Orioles (a cura di), *Studi in memoria di Eugenio Coseriu*, supplemento al n. 10 di *Plurilinguismo*, Università degli studi di Udine, Udine 2004, pp. 229-251.

Daniele F. Maras, *L'iscrizione di Trivia ed il culto del santuario alla foce del Garigliano*, in *Archeologia Classica*, vol. LVI, n. s. 6, 2005, pp. 33-48.

STUDI

Pietro G. Beltrami, *La filologia romanza*, il Mulino, Bologna 2017.

Francesco Bruni, *L'italiano. Elementi di storia della lingua e della cultura*, UTET, Torino 1984.

Francesco Lo Monaco e Piera Molinelli (a cura di), *L'«Appendix Probi». Nuove ricerche. Atti del seminario di studi dell'Università di Bergamo, 20-21 maggio 2004*, Edizioni del Galluzzo, Firenze 2007.

Diego Poli e Carlo Santini, *Una storia della lingua latina. Formazione, usi, comunicazione*, Carocci, Roma 1999.

Lorenzo Renzi e Alvise Andreose, *Manuale di linguistica e filologia romanza*, il Mulino, Bologna 2015.

Aurelio Roncaglia, *Le origini della lingua e della letteratura italiana*, UTET, Torino 2006.

Carlo Tagliavini, *Le origini delle lingue neolatine*, Pàtron, Bologna 1982.

Lorenzo Tomasin, *Il caos e l'ordine. Le lingue romanze nella storia della cultura europea*, Einaudi, Torino 2019.

Alfonso Traina e Giorgio Bernardi Perini, *Propedeutica al latino universitario*, a cura di Claudio Marangoni, Pàtron, Bologna 2007[6].

Veikko Väänanen, *Introduzione al latino volgare*, Pàtron, Bologna 2003[4].

Alberto Zamboni, *Alle origini dell'italiano*, Carocci, Roma 2000.

Capitolo 4

Testi

Arrigo Castellani, *I più antichi testi italiani. Edizione e commento*, Pàtron, Bologna 1976[2].

Studi

Giuseppe Antonelli, *Il museo della lingua italiana*, Mondadori, Milano 2018.

Padre Bellarmino Bagatti, *Il Cimitero di Commodilla o dei Martiri Felice ed Adàutto presso la Via Ostiense*, PIAC, Città del Vaticano 1936.

Ornella Castellani Pollidori, *Sull'iscrizione della chiesa romana di San Clemente*, in *In riva al fiume della lingua. Studi di linguistica e filologia, 1961-2002*, Salerno Editrice, Roma 2004, pp. 69-79.

Claudio Marazzini, *La lingua italiana. Profilo storico*, il Mulino, Bologna 2002.

Silvio Pellegrini, *Ancora l'iscrizione di S. Clemente*, in *Saggi di filologia italiana*, Adriatica editrice, Bari 1962, pp. 24-32.

Philippe Pergola, *Le catacombe romane. Storia e topografia*, Carocci, Roma 2017[2].

Livio Petrucci, *Alle origini dell'epigrafia volgare. Iscrizioni italiane e romanze fino al 1275*, Pisa University Press, Pisa 2010.

Francesco Sabatini, *Un'iscrizione volgare romana della prima metà del secolo IX. Il Graffito della Catacomba di Commodilla*, in *Italia linguistica delle origini*, Argo, Lecce 1996, vol. I, pp. 173-217.

Francesco Sabatini, Sergio Raffaelli, Paolo D'Achille, *Il volgare nelle chiese di Roma. Messaggi graffiti, dipinti e incisi dal IX al XVI secolo*, Bonacci, Roma 1987.

Pietro Trifone, *Roma e il Lazio*, UTET, Torino 1992.

—, *Storia linguistica di Roma*, Carocci, Roma 2008.

Capitoli 5-6

Testi

Dante Alighieri, *Commedia*, revisione del testo e commento di Giorgio Inglese, Carocci, Roma 2016.

—, *Vita nova*, a cura di Stefano Carrai, RCS Libri, Milano 2009.

Giovanni Boccaccio, *Decameron*, a cura di Vittore Branca, Einaudi, Torino 1987.

Giovan Francesco Fortunio, *Regole grammaticali della volgar lingua*, a cura di Brian Richardson, Antenore, Roma-Padova 2001.

Giovanni Gherardi da Prato, *Il Paradiso degli Alberti*, a cura di Antonio Lanza, Salerno Editrice, Roma 1975.

Niccolò Liburnio, *Le tre fontane*, De Gregorii, Venezia 1526.

Francesco Petrarca, *Canzoniere*, edizione commentata a cura di Marco Santagata, Mondadori, Milano 2004.

TESTI E STUDI

Dante Alighieri, *Opere*, edizione diretta da Marco Santagata, vol. I, *Rime, Vita Nova, De vulgari eloquentia*, a cura di Claudio Giunta, Guglielmo Gorni, Mirko Tavoni, Mondadori, Milano 2011.

STUDI

Giancarlo Alfano, *Tra Dante e Petrarca: Boccaccio e l'invenzione della tradizione (ancora sulla politica degli autori)*, in Anna Maria Cabrini e Alfonso D'Agostino (a cura di), *Boccaccio: gli antichi e i moderni*, Ledizioni, Milano 2018, pp. 93-113.

Ignazio Baldelli, *Lingua e stile delle opere volgari di Dante*, in *Enciclopedia Dantesca. Appendice. Biografia. Lingua e stile. Opere*, Istituto della Enciclopedia Italiana, Roma 1978, pp. 55-112.

Zygmunt G. Barański, «*Sole nuovo, luce nuova*»*: saggi sul rinnovamento culturale in Dante*, Scriptorium, Torino 1993.
Gianfranco Contini, *Varianti e altra linguistica: una raccolta di saggi (1938-1968)*, Einaudi, Torino 1970.
Tullio De Mauro, *La fabbrica delle parole: il lessico e problemi di lessicologia*, UTET, Torino 2005.
Francesca Geymonat, *Sulla lingua di Francesco di ser Nardo*, in Paolo Trovato (a cura di), *Nuove prospettive sulla tradizione della «Commedia». Una guida filologico-linguistica al poema dantesco*, Cesati, Firenze 2007, pp. 331-375.
Guglielmo Gorni, *Storia della lingua e storia letteraria (a proposito di Accademia della Crusca e 'Tre Corone')*, in Nicoletta Maraschio e Teresa Poggi Salani (a cura di), *Storia della lingua italiana e storia letteraria*, Cesati, Firenze 1998, pp. 19-31.
Stefano Jossa, *La fortuna delle 'Tre Corone' in età moderna*, in Sergio Luzzatto e Gabriele Pedullà (a cura di), *Atlante della letteratura italiana*, 2. *Dalla Controriforma alla Restaurazione*, a cura di Erminia Irace, Einaudi, Torino 2011, pp. 678-683.
Paola Manni, *La lingua di Dante*, il Mulino, Bologna 2013.
—, *La lingua di Boccaccio*, il Mulino, Bologna 2016.
Bruno Migliorini, *Storia della lingua italiana*, Bompiani, Firenze-Milano 2019.
Matteo Motolese, *Scritti a mano. Otto storie di capolavori italiani da Boccaccio a Eco*, Garzanti Libri, Milano 2017.
Giuseppe Patota, *La grande bellezza dell'italiano. Dante Petrarca Boccaccio*, Laterza, Roma-Bari 2015.
Fabio Rossi, scheda *Dantismi*, in *Enciclopedia dell'Italia-*

no, diretta da Raffaele Simone (edizione speciale per la libreria), Istituto della Enciclopedia Italiana, Roma 2011, pp. 330-334.
Mirko Tavoni, *Qualche idea su Dante*, il Mulino, Bologna 2015.
Maurizio Vitale, *La lingua del Canzoniere (*Rerum vulgarium fragmenta*) di Francesco Petrarca*, Antenore, Padova 1996.

Capitoli 7-8

TESTI

Leon Battista Alberti, *Grammatichetta e altri scritti sul volgare*, a cura di Giuseppe Patota, Salerno Editrice, Roma 1996 (seconda edizione rivista: *Grammatichetta. Grammaire de la langue toscane précédée de Ordine delle lettere. Ordre des lettres*, Les Belles Lettres, Parigi 2003).
Pietro Bembo, *Prose nelle quali si ragiona della volgar lingua* (*Le* Prose *secondo l'ultima volontà d'autore*), in Fabio Massimo Bertolo, Marco Cursi, Carlo Pulsoni, *Bembo ritrovato. Il postillato autografo delle Prose*, Viella, Roma 2018, pp. 221-316.
Lorenzo Valla, *Apologus II*, citato in Mirko Tavoni, *Latino, grammatica, volgare. Storia di una questione umanistica*, Antenore, Padova 1974, pp. 266-270.

STUDI

Lucia Bertolini, scheda su Leon Battista Alberti, *Ordine delle laettere pella linghua thoschana,* in Guido Beltramini, Howard Burns e Davide Gasparotto (a cura di),

Pietro Bembo e l'invenzione del Rinascimento, Marsilio, Venezia 2013, pp. 273-274.

Carmela Colombo, «Leon Battista Alberti e la prima grammatica italiana», in *Studi Linguistici Italiani*, III, 1962, pp. 176-187.

Nicola De Blasi, *L'italiano nella scuola*, in Luca Serianni e Pietro Trifone (a cura di), *Storia della lingua italiana. I. I luoghi della codificazione*, Einaudi, Torino 1993, pp. 383-423.

Giuseppe Patota, *Lingua e linguistica in Leon Battista Alberti*, Bulzoni, Roma 1999.

Histoire des idées linguistiques, diretta da Sylvain Auroux, vol. 2, *Le développement de la grammaire occidentale*, Mardaga, Liegi 1992.

Louis Kukenheim, *Contributions à l'histoire de la grammaire italienne, espagnole et française à l'époque de la Renaissance*, H&S Publishers, Utrecht 1974.

Giulio C. Lepschy (a cura di), *Storia della linguistica*, vol. I, il Mulino, Bologna 1990.

Maria Savorgnan, *«Se mai fui vostra». Lettere d'amore a Pietro Bembo*, nuova edizione critica a cura di Monica Farnetti, Edisai, Ferrara 2012.

Luca Serianni, *Prima lezione di grammatica*, Laterza, Roma-Bari 2006.

Capitolo 9

Testi

Ludovico Ariosto, *Orlando furioso. Secondo la 'princeps' del 1516*, edizione critica a cura di Marco Dorigatti

con la collaborazione di Gerarda Stimato, Olschki, Firenze 2006.
—, *Orlando furioso*, introduzione e commento di Emilio Bigi, a cura di Cristina Zampese, indici di Piero Floriani, BUR Classici, Milano 2012.
Niccolò Machiavelli, *De principatibus*, testo critico a cura di Giorgio Inglese, Istituto Storico Italiano per il Medio Evo, Roma 1994.

Studi

Alberto Asor Rosa, *Machiavelli e l'Italia. Resoconto di una disfatta*, Einaudi, Torino 2019.
Maurizio Dardano, *La prosa del Cinquecento. Studi sulla sintassi e la testualità*, Fabrizio Serra Editore, Pisa-Roma 2017.
Andrea Felici, *«Parole apte e convenienti». La lingua della diplomazia fiorentina di metà Quattrocento*, Accademia della Crusca, Firenze 2018.
Giovanna Frosini, *Lingua*, in *Machiavelli. Enciclopedia Machiavelliana*, direttore scientifico Gennaro Sasso, condirettore scientifico Giorgio Inglese, Istituto della Enciclopedia Italiana, Roma 2014, vol. II, pp. 720-732.
Annalisa Izzo (a cura di), *Lessico critico dell'Orlando furioso*, Carocci, Roma 2016.
Pier Vincenzo Mengaldo, *Attraverso la prosa italiana*, Carocci, Roma 2008.
—, *Canto I*, in *Lettura dell'«Orlando furioso»*, diretta da Guido Baldassarri e Marco Praloran, vol. I, a cura di Gabriele Bucchi e Franco Tomasi, Sismel-Edizioni del Galluzzo, Firenze 2015, pp. 125-143.

Bruno Migliorini, *Sulla lingua dell'Ariosto*, in *Saggi linguistici*, Le Monnier, Firenze 1957, pp. 178-186.
Giuseppe Patota, *La grande bellezza dell'italiano. Il Rinascimento*, Laterza, Roma-Bari 2019.

Capitolo 10

TESTI

Vocabolario degli Accademici della Crusca, appresso Giovanni Alberti, Venezia 1612.
Vocabolario degli Accademici della Crusca, appresso Jacopo Sarzina, Venezia 1623.
Vocabolario degli Accademici della Crusca, nella Stamperia dell'Accademia della Crusca, Firenze 1691.
Vocabolario degli Accademici della Crusca, appresso Domenico Maria Manni, Firenze 1729-1738 (tutte le edizioni sono consultabili in Rete all'indirizzo http://www.lessicografia.it).

STUDI

Valeria Della Valle, *Dizionari italiani: storia, tipi, struttura*, Carocci, Roma 2005, pp. 20-30, 36-42.
Massimo Fanfani, *Vene moderne nel Vocabolario,* in AA.VV., *Una lingua e il suo Vocabolario*, Accademia della Crusca, Firenze 2014, pp. 75-106.
Nicoletta Maraschio e Teresa Poggi Salani, *La prima edizione del* Vocabolario degli Accademici della Crusca, in AA.VV., *Una lingua e il suo Vocabolario*, cit., pp. 25-66.
Claudio Marazzini, *L'ordine delle parole. Storia di voca-*

bolari italiani, il Mulino, Bologna 2009, pp. 125-155, 228-232, 252-254.

Severina Parodi (a cura di), *Gli atti del primo Vocabolario*, Sansoni, Firenze 1974, ristampa con aggiunta di indici, Accademia della Crusca, Firenze 1993.

Teresa Poggi Salani, *Venticinque anni di lessicografia italiana delle origini (leggere, scrivere e «politamente parlare»): note sull'idea di lingua*, in Paolo Ramat, Hans-Josef Niederehe e Konrad Koerner (a cura di), *The History of Linguistics in Italy*, Benjamins, Amsterdam-Filadelfia 1986, pp. 51-83.

Eugenio Salvatore, «La IV edizione del 'Vocabolario della Crusca'. Questioni lessicografiche e filologiche», in *Studi di Lessicografia Italiana*, XXIX, 2012, pp. 150-152.

—, *«Non è questa un'impresa da pigliare a gabbo». Giovanni Gaetano Bottari filologo e lessicografo per la IV Crusca*, Accademia della Crusca, Firenze 2016.

Giulia Stanchina, «Nella fabbrica del primo 'Vocabolario' della Crusca: Salviati e il 'Quaderno' riccardiano», in *Studi di Lessicografia Italiana*, XXVI, 2009, pp. 121-160.

Capitolo 11

Testi

Galileo Galilei, *Dialogo sopra i due massimi sistemi del mondo tolemaico e copernicano*, edizione critica e commento a cura di Ottavio Besomi e Mario Helbing, vol. I: testo, Antenore, Roma-Padova 1998.

—, *Il Saggiatore*, edizione critica e commento a cura di Ottavio Besomi e Mario Helbing, Antenore, Roma-Padova 2005.

Francesco Redi, *Esperienze intorno alla generazione degli insetti*, in Maria Luisa Altieri Biagi (a cura di), *La letteratura italiana. Storia e testi*, vol. 34, tomo II, *Galileo e gli scienziati del Seicento*, Ricciardi, Milano-Napoli 1980.

STUDI

Maria Luisa Altieri Biagi, *Galileo e la terminologia tecnico-scientifica,* Olschki, Firenze 1965.

—, *Galilei, Galileo*, in *Enciclopedia dell'Italiano*, cit., pp. 548-551.

—, *Lingua della scienza tra Seicento e Settecento* (1976), in *L'avventura della mente: studi sulla lingua scientifica*, Morano, Napoli 1990, pp. 169-218.

Maurizio Dardano, *I linguaggi scientifici*, in Luca Serianni e Pietro Trifone (a cura di), *Storia della lingua italiana. II. Scritto e parlato*, Einaudi, Torino 1994, pp. 497-551.

Bruno Migliorini, *Galileo e la lingua italiana* (1942), in *Lingua d'oggi e di ieri,* Sciascia, Caltanissetta-Roma 1973, pp. 111-133.

Capitolo 12

TESTI

Alessandro Manzoni, *I promessi sposi*, a cura di Lanfranco Caretti, vol. I. *Fermo e Lucia. Appendice storica su la Colonna Infame*, Einaudi, Torino 1971.

—, vol. II. *I promessi sposi nelle due edizioni del 1840 e del 1825-27 raffrontate tra loro.*

Alessandro Verri, *La vita di Erostrato*, testo e note a cura di Vincenzo De Gregorio, La vita felice, Milano 1994.

STUDI

Lanfranco Caretti, *Romanzo di un romanzo* (1971), in *Antichi e moderni. Studi di letteratura italiana,* Einaudi, Torino 1976, pp. 251-270.

Silvia Morgana, *Manzoni, Alessandro*, in *Enciclopedia dell'Italiano*, cit., pp. 851-854.

Giovanni Nencioni, *Storia della lingua italiana. La lingua di Manzoni. Avviamento alle prose manzoniane*, il Mulino, Bologna 1993.

Luca Serianni, *Il primo Ottocento*, il Mulino, Bologna 1989, pp. 133-144.

—, *Le varianti fonomorfologiche dei 'Promessi sposi' 1840 nel quadro dell'italiano ottocentesco* (1986), in *Saggi di storia linguistica italiana,* Morano, Napoli 1989, pp. 141-214.

Maurizio Vitale, *La lingua di Alessandro Manzoni. Giudizi della critica ottocentesca sulla prima e seconda edizione dei 'Promessi sposi' e le tendenze della prassi correttoria manzoniana,* Cisalpino-Goliardica, Milano 1992[2].

Capitolo 13

TESTI

Paolo Monelli, *Barbaro dominio. Cinquecento esotismi esaminati, combattuti e banditi dalla lingua con antichi e nuovi argomenti, storia ed etimologia delle parole e aneddoti per svagare il lettore*, Ulrico Hoepli, Milano 1933.

Sillabario e piccole letture, compilato dalla signora Dina Bucciarelli Belardinelli, illustrato da Angelo Della Torre, La Libreria dello Stato, Roma anno XI (1936).

Studi

David Bidussa (a cura di), *Benito Mussolini, Me ne frego*, Chiarelettere, Milano 2019.

Manlio Cortelazzo, *Il dialetto sotto il fascismo*, in *Parlare fascista. Lingua del fascismo, politica linguistica del fascismo. Convegno di studi* (Genova, 22-24 marzo 1984), in *Movimento operaio e socialista*, VII, 1 gennaio-aprile 1984, pp. 107-116.

Lorenzo Coveri, *Mussolini e il dialetto. Notizie sulla campagna antidialettale del fascismo*, in *Parlare fascista,* cit., pp. 117-132.

Valeria Della Valle, *Lingua di tutti, non di regime*, Accademia della Crusca, Il Tema, settembre 2014, consultabile in Rete all'indirizzo https://bit.ly/1p1FmbX

—, *Linguaggio di regime. Quando la politica autoritaria si esercita anche sui modi di dire*, in *Prometeo*, anno 36, n. 143, 2018, pp. 38-45.

Fabio Foresti (a cura di), *Credere, obbedire, combattere. Il regime linguistico nel Ventennio*, Pendragon, Bologna 2003 (prima edizione *La lingua italiana e il fascismo*, Consorzio provinciale pubblica lettura, Bologna 1977).

Carlo Galeotti, *Achille Starace e il vademecum dello stile fascista*, Rubbettino, Soveria Mannelli 2000.

Enzo Golino, *Parola di duce. Il linguaggio totalitario del fascismo e del nazismo. Come si manipola una nazione*, Rizzoli, Milano 1994.

Gabriella Klein, *La politica linguistica del fascismo*, il Mulino, Bologna 1986.

Giovanni Lazzari, *Linguaggio, ideologia, politica culturale del fascismo*, in *Parlare fascista,* cit., pp. 49-56.

Erasmo Leso, *Momenti di storia del linguaggio politico*, in Serianni e Trifone (a cura di), *Storia della lingua italiana. II. Scritto e parlato*, cit., pp. 703-755.

Claudio Marazzini, *Perché in Italia si è tanto propensi ai forestierismi?*, in Claudio Marazzini e Alessio Petralli (a cura di), *La lingua italiana e le lingue romanze di fronte agli anglicismi*, Accademia della Crusca-goWare, Firenze 2015.

Rocco Luigi Nichil, *'Si dispone che…'. Sulla politica linguistica del fascismo, dal Foglio di disposizioni a 'Lingua Nostra'*, in Annalisa Nesi, Silvia Morgana e Nicoletta Maraschio (a cura di), *Storia della lingua italiana e storia dell'Italia unita: l'italiano e lo Stato nazionale*, atti del IX convegno dell'ASLI (Firenze, 2-4 dicembre 2010), Franco Cesati, Firenze 2011, pp. 439-450.

Lucilla Pizzoli, *La politica linguistica in Italia. Dall'unificazione nazionale al dibattito sull'internazionalizzazione*, Carocci, Roma 2018.

Alberto Raffaelli, *Le parole straniere sostituite dall'Accademia d'Italia (1941-43)*, Aracne, Roma 2010.

—, *Lingua del fascismo*, in *Enciclopedia dell'Italiano*, cit., pp. 459-461.

Sergio Raffaelli, *Le parole proibite. Purismo di Stato e regolamentazione della pubblicità in Italia (1812-1945)*, il Mulino, Bologna 1983.

—, «Un 'lei' politico: cronaca del bando fascista (gennaio-aprile 1938)», in *Omaggio a Gianfranco Folena*, III, Editoriale Programma, Padova 1993, pp. 2.061-2.063.

Me ne frego! Il Fascismo e la lingua italiana, da un'idea di Valeria Della Valle, regia di Vanni Gandolfo, Istituto Luce Cinecittà, Roma 2014, https://bit.ly/2ua8Fp9

Capitolo 14

TESTI

Costituzione della Repubblica italiana (1947), con l'introduzione di Tullio De Mauro e una nota storica di Lucio Villari, UTET-Fondazione Maria e Goffredo Bellonci, Torino 2006.

STUDI

Federigo Bambi, *Le parole della carta*, giugno 2016, informatore Unicoop Firenze, p. 11.

—, «La lingua delle Aule parlamentari. La lingua della Costituzione e la lingua della legge», in *Osservatoriosullefonti.it*, fasc. 3/2015, pp. 1-10.

Tullio De Mauro, *Storia linguistica dell'Italia repubblicana. Dal 1946 ai nostri giorni*, Laterza, Roma-Bari 2014.

Pierluigi Lamolea, *La nostra Costituzione*, s.e., Vercelli 2019.

Bice Mortara Garavelli, *«L'italiano della Repubblica». Caratteri linguistici della Costituzione*, in Vittorio Coletti (a cura di), *L'italiano dalla nazione allo Stato*, Le Lettere, Firenze 2011, pp. 211-218.

Stefano Rodotà (a cura di), *Alle origini della Costituzione. Ricerca della Fondazione Lelio e Lilli Basso-ISSOCO*, il Mulino, Bologna 1998, pp. 25-42.

Luca Serianni, *Lingua e diritto*, in Maria Zanichelli (a cura di), *Diritto e legge nelle parole dei non giuristi*, Franco Angeli, Milano (in stampa).

Luigi Spagnolo, *L'italiano costituzionale. Dallo Statuto albertino alla Costituzione repubblicana*, Loffredo, Napoli 2012.

Capitolo 15

Studi

Paolo D'Achille, *L'italiano contemporaneo*, il Mulino, Bologna 2010.

Tullio De Mauro, *Storia linguistica dell'Italia unita*, Laterza, Roma-Bari 2008.

Gruppo Incipit (Michele Cortelazzo, Paolo D'Achille, Valeria Della Valle, Jean-Luc Egger, Claudio Giovanardi, Claudio Marazzini, Alessio Petralli, Luca Serianni, Annamaria Testa), *Sillabo per l'imprenditorialità o sillabario per l'abbandono della lingua italiana?*, 17 aprile 2018, consultabile in Rete all'indirizzo https://bit.ly/303mCTQ

Claudio Marazzini, *L'italiano è meraviglioso*, Rizzoli, Milano 2018.

—, *La delibazione pigra e l'analfabetismo paradossale: che cosa è peggio?*, Accademia della Crusca, Il Tema, luglio 2018, consultabile in Rete all'indirizzo: https://bit.ly/2KTHpW7

Massimo Palermo, *Linguistica italiana*, il Mulino, Bologna 2015.

Luca Serianni, *L'italiano come lingua di insegnamento*, in Maria Agostina Cabiddu (a cura di), *L'italiano alla prova dell'internazionalizzazione*, goWare-Guerini e Associati, Firenze-Milano 2017, pp. 111-117.

Finito di stampare presso Grafica Veneta S.p.A.
Via Malcanton, 2 – Trebaseleghe (PD)
Printed in Italy

Prova d'acquisto
978-88-200-6843